BRUNO J. GIMENES

ATIVAÇÕES ESPIRITUAIS

Obsessão e Evolução pelos Implantes Extrafísicos

ATENÇÃO!

Livro com Bônus! Acesse o link agora:

luzdaserra.com.br/bonus

e tenha acesso imediato
ao seu Bônus online.

Bruno J. Gimenes

ATIVAÇÕES ESPIRITUAIS

OBSESSÃO E EVOLUÇÃO PELOS IMPLANTES EXTRAFÍSICOS

Luz da Serra

5ª edição / Nova Petrópolis-RS - 2017

Revisão: Vanderlei Nery da Rosa e Maitê Cena
Capa e Projeto Gráfico: Marco Cena
Diagramação: Maitê Cena
Edição: 20.000 exemplares

G491a Gimenes, Bruno J.
        Ativações espirituais: obsessão e evolução pelos implantes extrafísicos – 5. ed.– Nova Petrópolis: Luz da Serra, 2017.
        168p. ; 23 cm..

        1.Espiritismo. 2. Romance espírita. I. Título.

CDU 133.9

Catalogação na publicação: Renata de Souza Borges CRB-10/1922

Todos os direitos reservados. Nenhuma parte desta obra pode ser reproduzida ou transmitida por qualquer forma e/ou quaisquer meios (eletrônico ou mecânico, incluindo fotocópia e gravação) ou arquivada em qualquer sistema ou banco de dados sem permissão escrita da Editora.

Luz da Serra Editora Ltda.
Avenida 15 de Novembro, 785
Bairro Centro
Nova Petrópolis/RS
CEP 95150-000
editora@luzdaserra.com.br
www.luzdaserra.com.br
www.luzdaserraeditora.com.br
Fones: (054) 3281-4399 / (54) 99113-7657

Agradecimentos

Agradeço a Deus e às fontes sublimes de amor, porque nossos erros são tantos, nossa indisciplina é tão marcante, mas, mesmo assim, mesmo depois de tantas falhas de caráter e de erros tão grosseiros, as mãos do Grande Espírito Criador se mantém amparando nossa jornada!

Agradeço aos amigos espirituais que participaram desta obra, que de forma dedicada e pacienciosa, foram orientando a condução da escrita e o desenvolvimento do trabalho.

Agradeço aos meus irmãos de caminhada e de propósito, Patrícia, Paulo Henrique e Aline. Também ofereço toda a minha gratidão pela força que temos recebido dos queridos parceiros de jornada, que são tantos: Cátia, There, Fábio, Alessandra, Vyctor, Cinara, Marcelo, Milena, Vivi, Marcinha, Cássia, Bárbara, Juarez, Nico, Amanda, Lígia, Vitor, Domício, Nelson, Ieda, Lucimari, Carla Patrícia, Ademir, Alexandre, Vitor Hugo, Rose, José, Carla, Cláudia, Ivan, Jonas, entre tantos que a vida nos proporcionou.

Agradeço aos "Besouros": Maitê, Marco, André e Bruna. Agradeço ao carinho e respeito dos queridos alunos e internautas, que sempre me incentivaram a dar continuidade ao trabalho na senda da espiritualidade.

Aos amigos do Portal Somos Todos Um (www.somostodosum.com.br), meu abraço de carinho e respeito a vocês, em especial ao Sérgio, Rodolfo e Teresa, por sempre divulgarem nossos artigos mundo afora.

Também quero agradecer aos irmãos da ABPR (Associação Brasileira de Psicoterapia Reencarnacionista) Ricardo, Mauro, Sirlene, Anelise, Dani, Denise, Roberto. Em especial, quero dedicar este livro à nossa irmã Angélica, que recentemente fez sua passagem para o Plano Espiritual, de onde, com certeza, já está firme e atuante como instrumento da evolução planetária.

SUMÁRIO

No Plano Espiritual,
as forças se unem
– 9 –

Apresentação
– 15 –

As Ativações Espirituais
– 25 –

Os elementais e o controle
do psiquismo da Terra
– 27 –

As estações de envio
– 49 –

Baterias energéticas do plano denso
– 67 –

A construção dos
Núcleos Energéticos de Consciência
– 85 –

A fonte da energia do Umbral
– 95 –

A favorita!
– 111 –

O resgate de Carlos
– 125 –

Remoção de implante
– 143 –

As ativações naturais durante a vida
– 157 –

Publicações Luz da Serra
– 165 –

NO PLANO ESPIRITUAL, AS FORÇAS SE UNEM
Prefácio de Bruno J. Gimenes

O movimento universalista é uma presença intensa no coração de muitas pessoas, especialmente no século XXI que é marcado pela liberdade de religião, pelas pesquisas científicas no campo da fé que vem buscando unir ciência com espiritualidade de uma forma inédita para humanidade.

Nessa tendência que vem aflorando naturalmente na alma de cada pessoa, encontramos uma provável mensagem incutida em cada movimento: as filosofias devem se ajudar, as doutrinas, religiões ou crenças precisam se misturar umas às outras, senão, as verdades universais jamais se mostrarão em harmonia para a humanidade.

A espiritualidade não é uma religião ou uma filosofia espiritual, mas um estado de espírito. O ser espiritualizado não é necessariamente aquele que realiza práticas dentro dessas mesmas filosofias ou religiões, mas é aquele que conhece as leis universais e as pratica como regra de vida.

Não fazer para o outro o que não quer que façam para você e amar ao próximo como a si mesmo são as principais entre essas leis universais. Algumas outras igualmente importantes, como a lei de causa e efeito, também conhecida como a lei do karma. A lei do mentalismo diz que o universo é mental, pois tudo se processa pela influência dos nossos pensamentos, além da lei da evolução constante – haja o que houver, o universo não para, pelo amor ou pela dor, precisamos evoluir na mesma direção.

Essas são algumas das principais leis naturais que estão acima de qualquer religião ou filosofia, entretanto, quando as próprias religiões ou filosofias agem no sentido de compreendê-las, tornam-se também benéficas. Caso contrário, em vez de ajudar as pessoas, acabam por escravizá-las, criando dependência e medo.

Existem muitas linhas religiosas no mundo atuando com bondade, seriedade e verdade, todavia não temos como esconder que o caminho do universalismo torna o ser humano livre, estimula a expansão da consciência e mostra que o determinismo pode ser a porta de entrada da escuridão na vida das pessoas. Isso porque o universo é muito amplo para que determinados conceitos tornem-se imutáveis durante os tempos.

Sendo assim, sob a orientação dos amparadores espirituais desse trabalho, Cristopher, Astrol, Benedito, Aurélio, Amílio, Tattus e tantos outros que surgiram no período de construção dos capítulos, percebi que os rótulos que temos na Terra, que é o costume de dar sempre nomes às coisas ou situações, são de natureza puramente mundana, porque no Plano Espiritual não há separações. Nas zonas mais sutis da nossa existência, os Seres de Luz não brigam entre si para ver quem são os mais fortes ou poderosos, contudo, dedicam-se sem descanso para unir esforços e fazer dessa união a força redentora que iluminará a humanidade.

Por isso, nas narrações a seguir, não se preocupe em enquadrar ou rotular cada participante das narrações como isso ou aquilo, dessa religião ou de outra, porque não é o que mais importa e não é o que eles desejam.

Particularmente, como professor, palestrante, estudante das religiões e das lições de amor deixadas pelos Grandes Mestres da Humanidade[1] como Gandhi, Jesus, Madre Teresa, Maria, Pena Branca, Padre Pio, São Francisco, Chico Xavier, Allan Kardec, Kuan Yin, Yogananda entre outros, tenho muita simpatia por várias religiões ou filosofias religiosas. Mesmo assim, acredito que o homem será especialmente livre se ele souber criar a religião da orientação interior, onde imperam a filosofia do amor e da prática do bem.

No contato que estabeleci por vários dias com os orientadores do projeto, percebi a facilidade em que eles transitam por todas as frequências vibratórias, onde estão situadas as diferentes crenças humanas, e assim compreendi com admiração que o maior ensinamento é o da união de esforços. Por isso vai a minha humilde opinião: que você aproveite tudo que tem de bom nos conteúdos

---

[1] No Livro *Grandes Mestres da Humanidade – Lições de Amor para a Nova Era* (Luz da Serra Editora, 2ªed/2010), a autora Patrícia Cândido reúne a história de cinquenta grandes almas que mudaram o mundo através de suas histórias de amor.

a seguir, sem preconceitos ou críticas. Sinta com o coração cada jeito de expressar a espiritualidade ou de se conectar com Deus, narrado nos textos. Assim, extraia a sua verdade, que deve iluminar seus passos no caminho da sua vida eterna.

Utilizei para a construção desse trabalho o mecanismo da mediunidade. Na história da humanidade, essa faculdade psíquica sempre foi empregada por diversos povos, nas suas mais variadas manifestações.

A mediunidade foi e é amplamente estudada e praticada aqui no ocidente, junto aos irmãos da doutrina espírita, codificada e difundida pelo nobre Allan Kardec. Entretanto, o fato de utilizar das minhas faculdades mediúnicas não me torna obrigatoriamente um espírita, da mesma forma que ao participar de uma missa eu não me torne um católico ou se eu pronunciar mantras todos os dias pela manhã também não me transforme em um budista. A mediunidade é um dom que todos, sem exceção, temos e que, particularmente, venho lapidando há algum tempo.

Pronuncio-me dessa forma, com toda a verdade do meu coração, respeitoso por todas as religiões, levando a bandeira da união para que entendamos definitivamente que no astral superior as correntes de egoísmo não se cristalizam como na Terra. Por isso, peço a você, leitor, que compreenda que quando falo assim não faço jamais em tom de crítica, mas de celebração, porque junto aos amparadores espirituais aprendi que esse é o melhor caminho a seguir, o do universalismo espiritual e da união cósmica.

Todos nós seremos cada vez mais felizes quando soubermos aproveitar a fé evangélica na palavra de Jesus, a disciplina nas práticas Hindus, as iniciações espirituais da Igreja Católica, a proteção extrafísica e a cura sem igual da Umbanda Sagrada, o intercâmbio libertador com os planos sutis da doutrina espírita, a sintonização com as correntes de energias mais elevadas do universo encontrada no budismo e assim por diante.

Com essa força, com essa fé me apresentei devotado ao trabalho de transcrever as orientações que recebi nessa interação com o mundo espiritual, mas sem jamais me rotular por isso. Sou filho de Deus, sou um ser em evolução, é isso que sou! E também, pelo que percebi, é isso que esses nobres amparadores desejam para mim e para todos nós.

Não alcancei a iluminação, ainda não sou mestre de nada, mas sou um indivíduo empenhado em fazer algo para que cada dia mais conquistemos qualidade de vida, consciência cósmica e liberdade espiritual.

Por último, desejo do fundo da minha alma que possamos usar todo o conhecimento espiritual para nos libertarmos, para sermos mais felizes e, principalmente, para nos amarmos e amarmos o nosso próximo cada dia mais. Sempre que esse movimento abençoado estiver acontecendo, poderemos ter a garantia de que estaremos no caminho certo, navegando a favor da correnteza universal de evolução para o amor e para o bem-maior.

APRESENTAÇÃO
Por Bruno J. Gimenes

Eu passei no meu quarto para pegar minhas roupas, para ir tomar banho. Estava tudo tranquilo, mas havia dentro de mim uma ansiedade diferente, uma espécie de animação intensa. Minha mente vibrava em um ritmo frenético, mas, ao mesmo tempo, tudo se mostrava em paz. Parece estranha essa contrariedade de sentimentos, no entanto, era assim que eu me sentia naquela noite.

Entrei no banheiro, fazia um frio intenso, então logo fui para o chuveiro. A água tem um efeito muito poderoso sobre mim; quando recebo a ducha direto na cabeça, tenho facilidade de expandir minha conexão com Deus, com os Seres de Luz, e não raro recebo mensagens, intuições, dicas e avisos sobre a vida, trabalho e projetos. Dessa vez não foi diferente, não demorou nada para eu começar a sentir uma presença espiritual forte enquanto absorvia os benefícios de um bom banho relaxante.

Saí do chuveiro o mais rápido que pude no momento em que percebi a presença espiritual marcante, pois precisava ficar o máximo possível concentrado para entender o que estava ocorrendo. Foi quando enxerguei, através de minha tela mental[2], o mesmo amigo espiritual que já havia se apresentado na construção do nosso livro anterior, *Mulher, a essência que o mundo precisa*. Era Cristopher[3], que me olhou e disse:

"Ativou, está pronto, podemos começar!"

Imediatamente fui tomado por uma forte sensação de alegria e de realização, porque sabia que ele se referia ao fato de que tinha chegado a hora de produzirmos mais um projeto[4]. Confesso que em muitas meditações ou pela intuição eu já havia sentido que o novo livro estava a caminho e que se tratava de um trabalho muito especial, principalmente porque já percebia que seria escrito de uma maneira diferente dos anteriores, então, essa nova condição desafiante me encheu de motivação.

Ao observar o Cris, tive uma visão. Eu o avistei em uma biblioteca de grandes proporções, com múltiplos andares. Era uma quantidade tão grande de livros, organizados em incontáveis estantes em cada andar, que tinham à frente de cada uma, escadas presas às suas hastes, para que fosse possível o acesso a qualquer livro. O curioso

---

[2] Visão interna, aquilo que a mente enxerga, mesmo quando se está de olhos fechados.

[3] Surpreendente alma de aspecto jovem, salientando em sua aparência intensa atração e curiosidade pela vida e seus afins. Nunca deixa de lado o estudo da natureza, das leis universais que regem a humanidade e, principalmente, as escalas de evolução do espírito humano. Sua aura de curiosidade pelos estudos é maravilhosa. Embora seja um orientador que demonstre profundo conhecimento e profundidade sobre todos os temas que ele ensina através das suas mensagens, trata-se de uma personalidade muito humilde e consciente.

[4] A expressão projeto é utilizada para mostrar que a construção de um livro não é simplesmente uma atividade isolada de escrita, mas a organização de uma ideia e suas várias concepções para que possa levar ao leitor uma estrutura bem organizada de ensino sobre os conteúdos envolvidos.

APRESENTAÇÃO

era que todos os andares superiores podiam ser visualizados, porque o centro do grande prédio era um único tubo, rodeado por uma imensa escada que serpenteava o interior da instalação. Ao teto, distante muitos metros do chão, restava uma visão tal qual a de uma nuvem branca quando se põe à frente do sol em um dia de calor, porque, quando eu olhava para cima, na imensa biblioteca, a impressão que eu tinha era a de que a sua cobertura era o próprio céu, tal a claridade e intensidade da luz que do alto vinha.

Observando o Cris, percebi que ele subiu até o terceiro andar daquela imensa construção, rodeada por prateleiras de milhares de obras. Escolheu uma coluna de livros, subiu alguns degraus na escada rente à prateleira e, para minha surpresa, ele não apenas estendeu a mão na direção de um livro pretendido, como mergulhou em direção a ele. Foi um fenômeno tão lindo que chamou muito a minha atenção. Fiquei chocado, apenas observando aquele show perante os meus olhos. Dessa forma, Cris mergulhou com o corpo quase que inteiro na direção daquilo que parecia ser um livro. E, nesse tempo, um tipo de luz líquida branca, levemente azulada, envolveu todo o seu corpo. O que me surpreendeu foi que essa luz líquida ficava armazenada nas próprias prateleiras, portanto, era como se ele tivesse entrado com o corpo na parede e mergulhado nela até quase cobrir as pernas. Eu só consegui ver os seus pés que haviam ficado de fora, apoiados na escada que lhe dava apoio.

Quando ele retornou do mergulho, desceu a escada carregando com ele um sorriso maroto e um livro em suas mãos. Veio em minha direção, mostrou-me o livro, aparentemente antigo, com uma capa dura de cor bege. Ele abriu o livro e vi que no miolo não havia páginas, e sim um incrível bloco de cristal branco. Quando ele folheou o que seria a capa do livro, vi que no centro do bloco maciço de cristal branco havia uma massa azulada de energia líquida que ele tocou com sua mão direita.

Nesse momento, novamente com ar de alegria, Cristopher me disse: "Ativou!"

Senti outra vez aquela emoção, juntamente com um senso de utilidade sem igual. Digo isso, porque, quando nos colocamos como canais da vontade Divina e assim conseguimos realizar tarefas nesse sentido, nos aflora um sentimento de que estamos fazendo a coisa certa, o que nos proporciona um sentimento maravilhoso, sem igual!

Então Cristopher reafirmou que o projeto estava pronto para começar, em outras palavras, que iríamos construir um novo livro. Além disso, ele me passou uma informação que me alegrou muito quando confirmou que esse seria um projeto coordenado por Astrol[5], grande mestre das dimensões superiores que também já havia se apresentado em outros projetos, no entanto, que ele, Cris, tinha sido destacado para intermediar o processo,

---

[5] Astrol é um espírito muito esclarecido que, ao longo das suas sucessivas encarnações, encontrou a paz espiritual através da experimentação profunda causada pelo sentimento de amor. Vive nas dimensões sutis da espiritualidade, oferecendo ajuda e paz para todos que assim solicitam. Ajuda que só ocorre quando quem pede abre o canal da humildade, da remoção do orgulho e da entrega espiritual. Sua luz é cintilante, suave e rápida, caracterizada, principalmente, pelas cores esmeralda e azul claro. Aparece envolvido por igual luminosidade

dessa forma me ajudaria a cumprir com os objetivos necessários.

Eu estava sentindo um frenesi tão grande que não conseguia me conter. Era uma noite de muito frio, já era tarde e a cama quentinha me convidava para descansar, mas eu não conseguia, tão grande era a minha inquietação. Foi quando brinquei em minha conversa telepática com o amigo Cris: Já que você me deixou assim, eufórico, e que perdi o sono, então, por favor, continue, quero saber mais!

Foi aí que Cris começou a explicação:

"É importante que você saiba que, quando um projeto desse tipo surge na Terra e é apresentado entre os homens, é porque antes ele já existia nas dimensões extrafísicas, a exemplo desse que já está concebido 'aqui em cima' (no Astral Superior), por isso que você mesmo conseguiu visualizar o livro. Agora o desafio será construir uma versão dele para a dimensão física. E esse será o nosso trabalho.

Todo ser humano passa por um processo de evolução espiritual consciente, alguns chamam de reforma

---

e tem a capacidade de fazer qualquer desafeto do seu coração ser dissipado em segundos. Interessado nas leis da matéria, é profundo conhecedor dos efeitos do amor na bioenergia espiritual. É especializado na compreensão dos efeitos fluídicos e energéticos causados pelas emanações do amor. Divertido em sua forma de agir, comemora a cada instante os nossos passos ascendentes, como um pai que se alegra com o caminhar de um bebê em crescimento. Sua alma jovial e sua capacidade inquestionável não nos colocam distantes dele. É incrível a capacidade que ele tem de nos adaptar à sua presença marcante. Com Astrol nos sentimos felizes, amparados, na impressão de estarmos com um irmão mais velho ou um sábio amigo que, com sua conduta habilidosa consegue nos deixar à vontade, além de nos inspirar os mais agudos sentimentos elevados. Tudo com equilíbrio e leveza.

íntima, outros de purificação espiritual, já outros de elevação da consciência. Não importa o nome que seja dado, o homem do século XXI já começa a perceber que tem uma tarefa espiritual a cumprir e que tudo indica ser a evolução das emoções, melhor dizendo, a transmutação dos sentimentos densos em sublimes.

Várias linhas filosóficas ou religiosas vêm mostrando metas de comportamento mais evoluído como um estilo de vida desejável para qualquer ser humano. Embora ainda sejam sinais de certa maneira tímidos, a raça humana já começa a mostrar que está compreendendo, ainda que lentamente, a necessidade de crescimento consciencial. Em resumo, todos começam a buscar mudanças que os façam mais felizes. E, para serem mais felizes, precisam ser mais equilibrados. Para serem mais equilibrados, precisam harmonizar suas emoções, esse é o ponto. Não importa o nome que desejamos dar, a humanidade começa a compreender que as emoções densas precisam ser eliminadas, então, de um jeito ou de outro, acreditando ou não em Deus, as pessoas da Terra começam a desenvolver uma caminhada, ainda que lenta, na direção da cura desses aspectos inferiores.

Até aí, nenhuma novidade, apenas atento para o fato que esse é o típico processo de evolução espiritual ou evolução da consciência, reforma íntima, etc. É o processo de mudança que passa pelo pensamento e sentimento, e por isso o ser humano participa da transformação ativamente, mesmo que a evolução aconteça de maneira forçada, que é o que ocorre pela via das dores, sofrimentos e crises ou mesmo se provocada pela reflexão consciente da minoria buscadora de verdades universais. Seja da forma que for, essa via de evolução da consciência já está praticamente mapeada, entendida pelos seres humanos. Entretanto, não é esse o único movimento destinado à evolução da espécie humana. Existe outro formato que corre simultaneamente no oceano da elevação da moral desejável ao homem. Um sistema padronizado e organizado para produzir na humanidade maior agilidade na tão sonhada jornada de volta ao coração de Deus, isso quer dizer, na recuperação da angelitude da alma humana.

Antes disso, é importante esclarecer que a matriz energética do homem, que é a sua própria essência espiritual, tem múltiplos receptores que podem alojar ajustes constantes de padronizações e atualizações com o propósito de cura, crescimento, dinamização, maior eficiência em atos, maior coerência, clareza, resistência, inteligência, persistência, entre outros aspectos.

A alma humana possui inúmeros aglomerados de receptores extrafísicos que são capazes de acoplar dispositivos energéticos que, assim como programas de computadores, atuam desempenhando tarefas específicas o qual podem receber programações com o objetivo de acelerar seu crescimento em todos os sentidos. E, da mesma forma que os computadores têm seus programas renovados por versões mais atualizadas, à medida que a evolução dos sistemas e do conhecimento se processa, o espírito humano pode receber as atualizações necessárias desses núcleos ativadores de consciência para inúmeros benefícios.

Em outras palavras, qualquer pessoa consciente tem capacidade de receber impulsos de mais coragem, mais força, mais concentração, paciência, alegria, entusiasmo, motivação, etc.; tudo pela presença de Núcleos Energéticos de Consciência, em partes específicas do corpo espiritual de cada ser.

Sendo assim, nós todos temos uma matriz energética que comporta a utilização de núcleos de força que podem desempenhar papéis muito interessantes no sentido da evolução da consciência.

Atualmente, todas as pessoas passam por inúmeras ativações que são os momentos específicos em que a energia cósmica efetua impulsos nesses núcleos presentes nas matrizes espirituais dos seres humanos. É como se um coração de luz pulsasse um pequeno choque que promove um benefício específico.

Portanto, há muito ainda a ser desvendado pelos homens para que sua evolução aconteça com mais solidez e agilidade. Pode ter certeza de que nas esferas superiores onde vivem os espíritos elevados nas ciências energéticas, eles trabalham incansavelmente com o objetivo de encurtar o caminho necessário para a humanidade evoluir em seu universo de emoções negativas. Sendo assim, apresenta-se diante da humanidade uma oportunidade nunca antes imaginada no que se refere à capacidade de evolução mais rápida e coesa. Fato que poderá se desenrolar com tranquilidade quando o ser humano tiver conhecimento pleno das Ativações Espirituais provocadas pelos Núcleos Energéticos de Consciência (NEC´s) e assim aprender a usá-los com inteligência e discernimento.

Ocorre que a mesma base energética da matriz espiritual humana utilizada para abrigar harmoniosamente esses núcleos também é compatível para a instalação de dispositivos de obsessão. Isso quer dizer que a mesma estrutura que pode curar, aliviar, gerar o progresso moral e a plenitude, também tem servido de porta de entrada para o vampirismo desmedido com fins destrutivos e escravizantes.

Dessa forma, cabe ao ser humano alinhado com a Fonte Divina, praticante de bons hábitos, desfrutar de novos processos evolutivos possíveis no novo campo das Ativações Espirituais. Todavia, resta ao homem, ignorante das verdades espirituais ou apenas distraído nas contradições mundanas da vaidade, do ego, dos vícios, do materialismo excessivo, da ambição perniciosa, receber tão conturbadoras influências que se instalam nas propriedades de sua alma, ocupando o mesmo espaço sagrado com a presença das trevas. É mais uma vez a constatação sincera do efeito do sublime ensinamento que diz: 'Conhecereis a verdade e ela vos libertará'.

Por último, fica a conclusão de que aquele que não está na Luz por resultante óbvia, já está parasitado pelas sombras! E aquele que está na Luz, uma vez consciente de suas possibilidades pela via das Ativações Espirituais, não demora e encontrará uma condição de se perceber morador de um mundo novo em luz, paz e harmonia."

E nessa atmosfera de explicações incríveis, de verdades reveladas tão incisivamente pelo amigo Cris, me recolhi naquelas percepções, compreendendo a grandeza do projeto que estava começando. Entendi naquele instante que este livro precisava ficar pronto o mais rápido possível, porque, dessa forma, muitas pessoas poderiam se beneficiar, criando condições de acelerar seus processos de evolução de uma maneira jamais antes vislumbrada. Nessa energia de intenções focadas, mergulhamos fundo na proposta de trazer ao leitor e buscador da evolução constante esse material, para oferecer condições práticas de superar seus desafios íntimos e externos, rumando na direção de um estilo de vida simplesmente maravilhoso.

AS ATIVAÇÕES ESPIRITUAIS
Por Cristopher

As Ativações Espirituais são processos vibratórios codificados especialmente, por via dos Núcleos Energéticos de Consciência. Esses núcleos, por sua vez, são unidades formadas por substância astral que normalmente são acoplados nos corpos espirituais dos seres humanos em pontos específicos.

Essas ativações acontecem com o objetivo de oferecer impulsos que originam ajustes nas condições mentais e emocionais dos seres humanos, proporcionando melhorias nas formas de agir, se relacionar, pensar e sentir.

Diversas ocorrências de ordem cósmica acontecem ativando essas vibrações específicas na matriz espiritual dos seres humanos, contudo, até então, as pessoas não estão conscientes desses processos. Uma vez conscientes, poderemos entrar em sintonia com esse objetivo dos planos superiores e, de forma disciplinada, promovermos uma aceleração na capacidade de esculpirmos em nós uma personalidade mais evoluída e mais Crística.

O que nos foge aos olhos é o fato de que as Ativações Espirituais já acontecem conosco faz algum tempo, contudo, de forma inconsciente, através de situações inusitadas, como por exemplo: uma crise de saúde, no caso das mulheres, um parto, um acidente, na conquista do primeiro emprego e até mesmo no primeiro beijo. Tudo depende da estrutura energética de cada ser.

Uma vez que conhecermos mais a fundo esse processo de Ativações Espirituais, até agora oculto à humanidade, poderemos modificar conscientemente os modos de pensar e agir, que estão causando um grande dano a todos, com proporções alarmantes.

Uma "simples" noite de carnaval, por exemplo, pode ativar negativamente na atmosfera uma quantidade tão grande de fluidos densos que são capazes de desequilibrar os sentimentos de uma grande população por vários meses. Assim acontece em um baile *funk*, numa festa de música eletrônica ou em outras reuniões sociais ou populares em que os princípios morais elevados não se façam presentes.

Assim, fica evidente, mais uma vez, a necessidade que homem tem de conhecer plenamente as consequências de seu descaso espiritual, bem como saber que sua negligência não gera efeitos nefastos apenas para si, mas para o mundo todo.

A chave para o mistério das Ativações Espirituais e os dispositivos energéticos de evolução será revelada nas próximas páginas desse estudo, para que você faça a sua parte e torne-se um ser de pleno amor, consciência e paz, em todos os sentidos.

Os elementais e o controle do psiquismo da Terra

Danos Tempestuosos

Eu estava deitado na cama, procurando acomodar-me da melhor maneira para começar minha oração rotineira antes de dormir. Relaxei, acalmei os sentidos, senti a expansão da energia tomar conta de mim, junto com uma tranquilidade absoluta que me invadiu. Não demorou nada para que eu ouvisse o seu chamado:

"Vamos lá?"

Foi quando percebi Cris se apresentando para mais uma atividade. Ele me disse:

"Mantém a sintonia."

E foi o que fiz.

No mesmo instante, me senti transportado espiritualmente para outro local, até perceber que estávamos em um grupo de aproximadamente quinze pessoas estudando e trabalhando em uma encosta de serra, no pé de uma montanha em uma cidade no plano superior. Ali estavam presentes, além de mim, outros vários pesquisadores e trabalhadores do projeto em que estavam engajados.

O calendário na Terra marcava o período de festividades do carnaval brasileiro e essa colônia astral estava situada acima da região do litoral sul paulista, mais especificamente na cidade de Peruíbe. Nesse ponto da cidade astral, monitorava-se a qualidade do psiquismo daquela região. Era uma estação de trabalho e pesquisas aplicadas ao psiquismo terrestre.

As emoções, os sentimentos e os pensamentos são energias que geram ondas vibratórias, portanto, produzem impulsos. Tudo que percebemos ou consideramos pela nossa consciência gera uma massa de energia com forma sutil que não é visível a olhos nus. Cada emoção desenvolvida dá forma a uma massa de energia. É pela resultante dos pensamentos e sentimentos das pessoas que essa concentração invisível se forma na atmosfera.

No plano astral superior, existem diversas torres de controle do psiquismo da Terra que são responsáveis por monitorar as oscilações da frequência dessas vibrações, e também por aplicar contramedidas sempre que os níveis máximos aceitáveis são ameaçados. Esses fenômenos negativos ocorrem quando a humanidade como um todo está em desequilíbrio, desorientada, confusa e alienada. Sendo assim, os centros de controle do psiquismo disparam descargas de energias sutis na crosta da Terra, com o propósito de estacionar ou reduzir as emissões mundanas de psiquismo denso.

O controle desse fator é importante para garantir a harmonia mental e emocional do planeta e dos planos sutis relacionados. Uma vez que os níveis fiquem elevados, acima do aceitável, podem desencadear ocorrências negativas alarmantes, como histerias coletivas, suicídios em massa, acidentes de trânsito acima do normal, tragédias, casos de violência além da média, badernas generalizadas, assaltos em massa, além da ação desgovernada dos grupos elementais. Pode-se dizer que, quando os níveis de densidade do psiquismo ficam acima do tolerável, a Terra sofre uma grave e danosa intoxicação por fluidos nefastos que depreciam demasiadamente a angelitude da alma humana, proporcionando um declínio aos mais primitivos sentimentos, ou seja, uma animalização das emoções.

Por essa causa, o controle do psiquismo é uma tarefa que o plano divino entende ser vital para manter a harmonia da evolução da humanidade. Embora não seja uma tarefa simples de ser realizada, e essa dificuldade tem como causa raiz o próprio descuido consciencial da humanidade, e os Seres de Luz estão organizados para realizar contramedidas imediatas sempre que esses desequilíbrios surgem. Isso tudo além do essencial e silencioso trabalho que fazem de prevenção rotineiramente.

Nessa localidade no astral, acima da cidade litorânea de Peruíbe, existia uma torre que se assemelha aqui na Terra a um cata-vento grande. Trata-se de uma estrutura formada por quatro bases constituídas de um metal que se assemelha ao aço inox, que tem no ápice de sua armação uma espécie de turbina, similar a de avião. As bases dessa torre são apoiadas sobre um incrível bloco de um cristal mediamente polido. Somando toda a altura do equipamento, ele aproxima-se a cinco metros de altura.

Nesse local, víamos ao fundo, depois da torre, uma linda montanha, amplamente envolvida por uma vegetação característica da mata atlântica na região litorânea brasileira. O clima era levemente úmido e agradável, proporcionando um incrível bem-estar para os que ali viviam.

No grupo de pesquisadores e trabalhadores daquela colônia, havia aproximadamente quinze espíritos, entre técnicos responsáveis pelos equipamentos, analistas do sistema de controle e operadores. Havia uma bela casa construída em madeira rústica, muito bem acabada e aconchegante, que possuía instalações suficientes para abrigar confortavelmente todos os integrantes daquele grupo. Na sala principal havia cadeiras simples e confortáveis, usadas para as rotineiras reuniões do grupo na definição de tarefas, análise de dados e principalmente para as meditações e orações que faziam disciplinadamente.

Cris foi me explicando toda aquela estrutura, enfatizando que nos planos mais sutis, as orações em grupo são consideradas essenciais e acontecem naturalmente com o objetivo de manter o foco no bem-maior com sintonia total as vontades do Grande Espírito Criador. E assim ele continuou:

"Se todas as empresas, todos os grupos, em todas as profissões soubessem da importância e dos efeitos benéficos oferecidos pelas orações em grupo antes do início das tarefas, jamais deixariam de lado esse elevado hábito. Falando na língua da Terra, dá pra dizer que as orações feitas em grupo, com o coração puro e elevado, produzem lucros dos mais diversos tipos, mas, infelizmente, a maioria das pessoas é cega para as verdades universais. Elas preferem viver seus dias terrenos repercutindo com ceticismo sempre que o assunto for espiritualidade, Deus, preces, fé, entre outras. A esses irmãos, cabe esperarmos as rodas de reencarnações aplicarem as pedagogias necessárias para que seus corações tornem-se puros e expandidos o suficiente, até que cheguem à condição de terem absoluta certeza de que são espíritos em evolução trabalhando na obra do Grande Espírito Criador. Notadamente, essa certeza só acontece mediante a forja do sofrimento, da dor, das desilusões e dos erros que carregam consequências por milênios, até que o espírito humano é purificado pelas existências cíclicas. Sorte daquele que entende sem ter que sofrer, pois encurta o espaço de tempo e aprende a ser mais feliz de forma simples e igualmente natural."

Após essa observação, Cris continuou me explicando sobre os acontecimentos que eu presenciava. Aquele grupo, embora tivesse ao seu dispor uma incrível cabana de madeira com toda acomodação necessária para um bom lazer ou descanso, quase nunca parava de desempenhar suas atividades junto às demandas daquela estação. Os recolhimentos aconteciam apenas para as orações e definições de tarefas, fora isso, as paradas eram raras.

À medida que eu analisava aquele grupo trabalhando arduamente, Cris continuou comentando os pormenores das atividades:

"As grandes tempestades ocasionais acontecem na atmosfera terrestre com o propósito de reequilíbrio ambiental no plano físico e, principalmente, no plano sutil, por onde gravita a psicosfera. Quando essas chuvas torrenciais caem, após seu cessar, é comum instalar-se no ambiente uma agradável sensação de leveza no ar. Todavia, é comum que junto com a tempestade ocorram verdadeiros desastres para humanidade, tais como enchentes e ventanias que destroem casas, provocam acidentes, desabamentos, gerando mortes, doenças e muito sofrimento. Do ponto de vista do ser humano encarnado, e quanto ao equilíbrio da vida no planeta, mais harmonioso seria contar com as chuvas corriqueiras, estabelecidas nas estações definidas, ocorrendo em quantidades equilibradas para que tudo fluísse de forma 'natural'. Entretanto, quando o psiquismo da Terra está denso demais pelo fato da humanidade produzir intensas e constantes emoções inferiores, com poderes imensamente intoxicantes, as corriqueiras chuvas não promovem a purificação necessária. Isso porque uma simples chuva não tem o poder de limpar tanta poluição psíquica acumulada. Além do que, o excesso de atitudes antiecológicas gera grande desequilíbrio na ação dos elementais, assim, quando eles entram em ação, atuam em proporções desajustadas. Na prática, isso quer dizer que produzem o caos, porque com essas ações desgovernadas sempre se manifestam produzindo secas, estiagens prolongadas ou furacões, enchentes, deslizamentos de terra.

Portanto, como as chuvas simples não são completamente efetivas na tarefa de devolver equilíbrio ao psiquismo, a natureza se encarrega de colocar a serviço os anticorpos da Terra, que são esses grupos de elementais, portadores da tarefa da manutenção das condições ideais de vida e da continuidade dos ciclos naturais. A Mãe Terra é um organismo vivo e, como tal, está munido de elementos naturais capazes de combater os ataques virais, que têm como fonte maior a ignorância humana. Quando os níveis do psiquismo ficam demasiadamente densos, as reações naturais surgem como contramedidas colocadas em ação pelos grupos de elementais que acontecem na forma de tempestades, tormentas, tsunamis, furacões e tornados, com o objetivo bem feitor no sentido da recuperação da qualidade da psicosfera, entretanto, com intensidade de força e proporção que não interessam à humanidade encarnada. Simplesmente porque acontecem de maneira devastadora, sem ponderar as mortes, as destruições de casas, doenças ou sofrimentos.

Os grupos de elementais envolvidos não possuem consciência para discenir ou controlar o que deve e o que não deve ser destruído. Entretanto, não podemos dizer que haja qualquer erro nessa natureza do planeta, afinal, é só um mecanismo cíclico que luta bravamente para manter a qualidade da vida na Terra, entendendo que tudo aquilo que atrapalha esse equilíbrio deve ser combatido."

Eu, atento, ouvindo Cris falar, fiquei assustado, pois percebi naquele momento que eu também sou um vírus para a Mãe Terra, não só por poluir ou consumir demais, mas por minhas emoções. Naquela explicação, minha consciência se expandiu e tive percepção, "somos o alvo" dos anticorpos da Terra, os elementais! Que sensação ruim! Por um instante me senti um animal indefeso correndo na mata, sendo perseguido por um caçador, procurando a melhor posição para apertar gatilho de sua espingarda. Pior ainda, me senti o vilão, afinal, precisamos ser contidos!

Cris só fazia sinal de afirmativo, pois ele sempre sabia o que eu estava pensando. Concordando com meus pensamentos, ele completou:

"Sim, a humanidade infelizmente comporta-se como um vírus, destruindo e desequilibrando tudo, mas os Mestres de Luz, os grandes seres de alma elevada, nossos mentores dos planos mais sutis compreendem todo o nosso processo evolutivo e sabem da importância do momento atual da humanidade, portanto, trabalham arduamente na manutenção da experiência humana de vida. É exatamente por intervenção desses Seres de Luz que esses centros de controle do psiquismo da Terra foram construídos. À medida que o homem, ignorante das consequências desastrosas provocadas por sua base moral destorcida, começou a povoar e se expandir pela Terra, ele começou a deixar seu rastro desequilibrador. Como consequência, os grupos de elementais começaram a agir na mesma proporção em oposição às atitudes mundanas. Assim, o desequilíbrio ambiental tendia a tornar a vida na Terra tecnicamente impraticável, o que dificultaria muito que o planeta desenvolvesse o papel de escola, bem como, que chegasse a um nível populacional proporcional a esses desígnios de ensino. Foi quando, percebendo esses abalos, o plano dos Grandes Mestres, dos seres iluminados e espíritos afins intervieram em benefício da humanidade, criando os centros de controle do psiquismo da Terra, que são inúmeros em todo o globo. A partir disso, criaram a tecnologia capaz de reduzir os danos provocados pelo efeito da ignorância humana.

O principal objetivo desses centros é atuar de intermediários entre a ação nefasta do homem e as ações de contenção naturalmente disparadas pelos grupos de elementais. Os mestres ascensos estudaram a fundo os níveis em que os elementais começam a atuar. Dessa forma, orientam aos centros de cada região quais são os níveis aceitáveis. Toda vez que um centro de controle detecta níveis com tendência a sair dos níveis conhecidos como saudáveis, disparam na atmosfera, por meio de equipamentos específicos, conhecidos como reatores, rajadas de um tipo de energia que eles aprenderam a produzir. Dessa forma, sempre que os sinais de alerta são acionados, os centros de controle disparam cargas de energias específicas na atmosfera com o propósito purificador. Uma vez que os níveis da psicosfera são abrandados, os grupos de elementais não são acionados, por não perceberem a necessidade. Eis a nobre importância dos centros de controle: evitar que os grupos elementais ajam à sua moda, pois, como já sabemos, não é muito agradável para os encarnados.

Mesmo assim, não existe milagre no raio de atuação dos centros de controle, pelo simples fato de que a energia que alimenta os reatores, que disparam as rajadas de energia sutil na psicosfera provém das orações sinceras de todos os espíritos da Terra, em especial, os encarnados. Isso mesmo! É a energia produzida pela prece, oração ou reza, desde que seja sincera, de coração. Os centros possuem equipamentos captadores que se assemelham muito às antenas parabólicas, que absorvem a energia produzida pelas orações, transmitindo para o grande cristal na base do reator e a armazenam em seu interior.

No topo daquele artefato, tal qual uma turbina de avião ou uma de usina hidrelétrica, sempre que acionada, gira uma engrenagem, em rotação 'alucinante' que, em intervalos definidos, dispara na atmosfera, na direção do céu, um pouco acima a linha do horizonte, intermitentemente, descargas de energia sutil com o propósito de abrandar os níveis do psiquismo daquela região.

O combustível que alimenta essas descargas de energia é a oração. Todos os impulsos captados provenientes das preces dos encarnados da região do centro de controle são convertidos em 'combustível' (energia sutil), armazenados no cristal da base do artefato."

Toda essa explicação técnica acima oferecida por Cris faz-se necessária para que o leitor possa compreender os fatos os quais eu pude comprovar enquanto espectador.

Curioso sobre tudo o que via, perguntei ao Cris:

"Esse céu que vemos aqui é o mesmo que eu vejo na Terra?"

E Cris me respondeu:

"Sim, Bruno, nessa colônia, os ciclos do sol e da lua estão em total sintonia com os da Terra, sendo assim, o céu que observamos nessa estação de controle é o mesmo céu dos encarnados da cidade de Peruíbe, no litoral sul de São Paulo."

Gostaria de comentar, antes de concluir a narrativa, que o fenômeno a seguir ocorre em todas as partes do mundo, entretanto, pela afinidade que tenho por aquela região, meu orientador considerou adequado que eu fosse levado até lá para depois narrar os acontecimentos neste livro, por isso os fatos que vêm a seguir ocorrem comumente em qualquer cidade ou local do mundo.

Era final de tarde, o sol estava se pondo. Parecia que tudo estava em equilíbrio, até que um alerta foi acionado, pois os níveis estavam subindo muito rápido para valores muito acima do aceitável.

Não daria mais tempo, a subida dos níveis do psiquismo foi muito rápida, não havia muito que fazer... Em poucos minutos já começamos a ver o céu escurecer intensamente por conta da tempestade que se armava. Em instantes, o que parecia um fim de tarde normal deu lugar a um céu azul escuro, carregado e intimidador.

Imediatamente, mesmo sabendo que os grupos elementais já haviam entrado em ação, todos os membros daquela equipe do centro de controle começaram a agir. De forma coordenada e integrada, cada um começou a desempenhar sua tarefa, no sentido de ajudar a cessar o efeito destruidor que se aproximava.

Em segundos, o reator foi acionado, disparando ciclicamente as rajadas de energia sutil levemente azulada que produziam na atmosfera local, um aroma muito agradável, difícil de descrever com base nas referências terrenas. Aqui deixo meu singelo comentário a algo inefável: uma delícia de aroma!

Para nossa surpresa, passado muito pouco tempo após os primeiros disparos, o reator parou de produzir as descargas energéticas e, o pior, nada tinha mudado quanto à tempestade iminente.

Os técnicos e operadores, de forma muito dedicada, faziam tudo que sabiam para reverter a situação, mas sem sucesso, pois a causa era simples, o reservatório do cristal base estava esgotado. Sim! O nível energia de oração estava esgotado, pois a quantia acumulada era muito pequena.

Como espectador dos acontecimentos que se mostravam a minha frente, senti imenso mal-estar. Como podia uma cidade daquele tamanho, com a população multiplicada por dez (já que era um período de temporada de férias), estar com o nível de oração tão baixo?

Senti culpa também por todas as vezes que, por pura preguiça, não dediquei sequer cinco minutos para a prática abençoada da oração. Os técnicos daquele centro de controle estavam padecendo, pelo simples fato de que não tinham energia sutil armazenada suficiente para evitar a ação devastadora de uma tempestade como a que estava começando. Nesse instante, senti que minha consciência se iluminou para a importância que a oração tem na manutenção do equilíbrio da vida no nosso planeta.

Também percebi que aqueles abnegados trabalhadores do centro de controle não tinham mais recursos para trabalhar, mesmo porque a tempestade já estava mostrando a sua força, produzindo imensa ventania, chuvas torrenciais e raios intensos.

Sem poderem usar o reator, também sem terem o que fazer no ambiente externo, rapidamente se recolheram até a sala de reuniões da cabana, organizando-se em um círculo, de mãos dadas, começaram a orar. A fé, a confiança, a devoção daqueles irmãos de senda me tocou fundo e, mesmo como um espectador, comecei a rezar junto. Em poucos instantes, um halo de luz multicolorido se formou ao redor deles. Ainda de mãos dadas, com profunda devoção e foco no bem-maior, a prece seguia. No ambiente externo, era possível ver a força da tempestade que já se "debruçava" sobre a cidade, exercendo seu papel de limpeza, sem medir os transtornos.

Pouco tempo depois, aquele halo energético se fortificou manifestando, principalmente, os tons de cores laranja e azul claro. No interior desse anel de luz havia a formação do azul, enquanto que, no exterior, a luz era cor de laranja, de uma pureza estonteante. Eu percebi que o halo energético ficava mais forte com o tempo, e também que alguma força externa estava ajudando a expandir aquela energia linda. Foi quando percebi amorosa sintonia do grupo com o Mestre Jesus. Suavemente, a imagem do sublime mestre surgia plasmada no centro da roda de oração. A energia de paz, leveza e sutileza produzida naquele instante mágico foi intensa. Aquela preocupação desapareceu, dando lugar a um incrível sentimento de tranquilidade e confiança que povoou a consciência daquele nobre grupo. No mesmo momento, surgiram do céu, acima de nossas cabeças, como que vindo das mais altas esferas, descargas de energias sutis, na forma de raios silenciosos que entrecortavam o céu azul escuro.

Percebi as bênçãos que aqueles silenciosos trovões produziam na atmosfera, ao observar que, imediatamente, as chuvas começaram a diminuir, os ventos acalmaram-se e o céu clareou. Tudo aquilo que se mostrava assustador começou a assumir níveis harmoniosos, até se transformar em uma agradável chuva fina. Assim, o grupo comemorou, aliviado e feliz, pela ação do Alto naquela situação, que poderia ter resultado em danos mais graves.

Pude concluir, por mim mesmo, que, se não fosse a ação daquele grupo, naquele centro de controle, o desfecho da história poderia ter sido outro, com consequências físicas para os habitantes e certamente muito mais incômodas do que as que ocorreram. Mais uma vez, um problema maior foi evitado e, mesmo que temporariamente, a cidade gozava de uma qualidade incrível da psicosfera.

Achando que a ocorrência de fatos interessantes estava cessada e que o meu orientador daria como concluído os ensinamentos daquela noite, me surpreendi ao ver Cris me mostrando um pequeno medidor digital instalado em uma das faces do cristal base do reator. Aquele era um marcador muito semelhante ao de combustível de um automóvel. Então, aquele dispositivo, que anteriormente tinha o nível de energia sutil nulo, inesperadamente começou a subir, com muita rapidez, até que sem demora atingiu o nível de "carregado".

Aí, eu não entendi nada, fiquei meio confuso, sem saber o que tinha acontecido, quando Cris começou a me explicar:

"Isso é muito simples, essa energia, ainda que tardia para os planos dos trabalhadores desse grupo, começou a ser acumulada quando os habitantes da cidade e arredores, amedrontados com a tempestade, começaram a rezar fervorosamente, pedindo intervenção do Alto. Infelizmente as pessoas só se lembram da força do Espírito

Criador nos momentos de dificuldade, o que se comprova mais uma vez com esse ocorrido. Tudo poderia ser evitado, se as mesmas pessoas que rezaram quando ameaçadas tivessem feito uma ação mínima, simples, de oferecer uma oração sincera, duas vezes por dia, por alguns minutos apenas."

E assim, depois de tantas conclusões e considerações, sob uma ótica completamente renovada acerca do psiquismo da Terra e os processos de limpeza, tanto dos grupos de elementais, quanto dos centros de controle, percebi que minha participação naquele relato estava encerrada.

Como síntese de toda a experiência vivida e da importância dos nossos papéis no controle do equilíbrio ambiental, que fique aqui registrado que, além da necessidade de termos atitudes ecológicas corretas, precisamos ter consciência da importância de nossas orações para a manutenção da qualidade de vida na Terra.

Elementais: Anticorpos da Terra

Aprendemos muitas coisas novas na última experiência que assistimos, entretanto, para uma melhor compreensão da ação dos grupos de elementais, ficaram faltando algumas observações que Cristopher nos oferece a seguir:

"A vida planetária é regulada por uma série de fatores que, assim como uma máquina complexa, funciona perfeitamente, graças à combinação das funções de engrenagens específicas, desenvolvendo seus papéis junto a um sistema todo integrado, com o objetivo de produzir um resultado final desejado.

Na natureza não é diferente. A vida é regulada por uma inteligência superior que define a função de cada reino e de cada elemento natural para que, dessa forma, tudo se encaixe perfeitamente e dê origem a esse complexo quebra-cabeças que mantém o equilíbrio da vida na Terra.

No último relato, percebemos que a harmonia das forças da vida tem um inimigo natural: o homem alienado de suas responsabilidades. Sim, os atos corriqueiros e estilo de vida humano são os maiores obsessores do ecossistema global.

Além das atitudes antiecológicas no que concerne aos aspectos físicos – poluição, desmatamento, queimadas e alteração nas bacias hidrográficas – oferecem à Mãe Terra toda forma de contaminação energética nociva pela emissão constante de ondas de pensamentos e sentimentos densos com toda forma de desequilíbrios.

Essas forças são somatizadas pela atmosfera planetária de forma a produzirem um ambiente profundamente afetado que padece pela toxina originada pela ignorância humana. Além de todas as falhas ecológicas, ainda infestam o planeta com descargas periódicas de desequilíbrios mentais e emocionais que se condensam na aura do globo, gerando efeitos assustadoramente nocivos. Toda raiva, medo, rancor, egoísmo, ansiedade e pessimismo gravitam na atmosfera sutil e acabam voltando para os mesmos seres humanos, os reais geradores. O resultado disso é que nos intoxicamos mais a cada dia, em um ciclo contínuo.

Porém, a natureza tem seus mecanismos de defesa para ajudar a manter a sua imunidade, porque a Terra é um grande organismo vivo, assim como o corpo humano que, quando atacado por um vírus, imediatamente reage colocando seus anticorpos em ação, para evitar os desequilíbrios eminentes. Fazendo uma analogia, assim como existem os anticorpos para auxiliar a manter a saúde física humana, o planeta Terra tem os elementais que são forças da natureza responsáveis por manter o equilíbrio da vida e dos elementos como água, ar, terra e fogo. São espíritos advindos de forças da natureza, entretanto, não possuem a mesma estrutura energética e consciencial tal qual a de um ser humano. Por estarem ligados a uma consciência coletiva (não individualizada), têm orientação própria baseada nos movimentos da vida, como uma bússola interior. Agem por instinto, como que por uma dança coordenada pela vontade do Grande Espírito Criador.

São forças naturais concentradas em seus objetivos, que se mantêm completamente integradas às matrizes que as criaram, ou seja, o elemental da água, dificilmente conseguirá se manter em equilíbrio longe da água, e assim acontece com todos os outros.

A força que dá vida aos elementos da natureza é o espírito do próprio elemento, que chamamos aqui de Elemental.

Sempre que a atmosfera psíquica da Terra sofrer com a grande concentração de fluidos tóxicos emitidos pelos seres humanos em desequilíbrio emocional, os elementais atuarão sistematicamente para restabelecer o equilíbrio necessário, envolvendo-se nessa tarefa como anticorpos, melhor dizendo, como verdadeiros mensageiros de Deus para o equilíbrio da vida.

E como agem os elementais?

Utilizam suas forças para devolverem equilíbrio ao fluxo vital da nossa Mãe Terra. Para facilitar o entendimento, abaixo cito os mais conhecidos grupos de espíritos elementais e suas principais funções quanto à manutenção da qualidade da vida no planeta. São eles:

Elementais da Água

Também conhecidos na Terra como Ondinas. São envolvidos na tarefa de limpar as saturações atmosféricas das emoções tipicamente humanas como raiva, mágoa, materialismo excessivo, futilidade, orgulho, vaidade. Estão presentes nas chuvas, das mais leves às torrenciais, que promovem enchentes, inundações, maremotos, tsunamis ou até mesmo vazamentos hidráulicos de pequenas ou grandes proporções. Combinam-se facilmente com outros grupos de elementais, produzindo ações conjuntas.

Elementais do Fogo

Também conhecidos na Terra como Salamandras. São envolvidos na tarefa de limpar as saturações atmosféricas condensadas já em níveis materiais. Sempre que os fluidos densos psíquicos afetam os aspectos densos da natureza, e não apenas sutil, os grupos de elementais do fogo agem purificando as forças e devolvendo o reequilíbrio ambiental. Manifestam-se em incêndios urbanos de casas, empresas e edifícios muito impregnados por energias densas fortemente estruturadas no plano material. Combinados com outros grupos de elementais, também se manifestam através das descargas elétricas produzidas nas tempestades que têm função benéfica para purificação de pensamentos coletivos, transmutando as ideias nefastas, a maldade, a futilidade e o pessimismo.

Elementais do Ar

Também conhecidos na Terra como Sílfides. São envolvidos na tarefa de liberar as saturações atmosféricas produzidas por bloqueios do movimento natural das forças vitais do ambiente. Quando um local, seja ele pequeno ou grande, pelo efeito das saturações dos fluidos densos tiver seu fluxo bloqueado, os elementais do ar entrarão em ação, promovendo o desbloqueio energético e a movimentação vital necessária. Manifestam-se desde as mais suaves brisas, até os mais violentos tornados, ciclones e furacões. Quanto mais severa for a ação, maior será a saturação de fluidos densos.

Elementais da Terra

Também conhecidos na Terra como Gnomos para os minerais, Duendes para as plantas e Fadas para as flores. São envolvidos na tarefa de drenar as saturações atmosféricas. Absorvem de maneira lenta e contínua os fluidos densos psíquicos, levando para o seio da Mãe Terra as toxinas que gradativamente são transmutadas ao longo do tempo. Desenvolvem efeitos mais lentos, contínuos e mais 'discretos', pois oferecem o benefício similar ao de uma toalha de banho ao enxugar o corpo após o banho. Deslizamentos de Terra costumam acontecer quando o grupo de elementais está saturado, a ponto de não dar conta de toda a demanda de trabalho necessário para aquele ambiente.

Sozinhos, não se manifestam de forma agressiva ou dinâmica (pelo movimento), uma vez que são amparados pela força da gravidade, que sempre leva a esse grupo de elementais a sedimentação dos fluidos densos para serem absorvidos e transmutados. Entretanto, agem combinados com os grupos de elementais da água, para que, nesse caso, possam movimentar-se mediante a ajuda do meio aquoso, o que acontece em enchentes, cheias de rios em que, além da movimentação das águas, existe a presença forte de terra dissolvida que forma a lama, para que, em ação conjunta, esses dois grupos possam desempenhar funções combinadas. Também se unem ao grupo dos elementais do ar, produzindo movimentações intensas pela via atmosférica."

As estações de envio

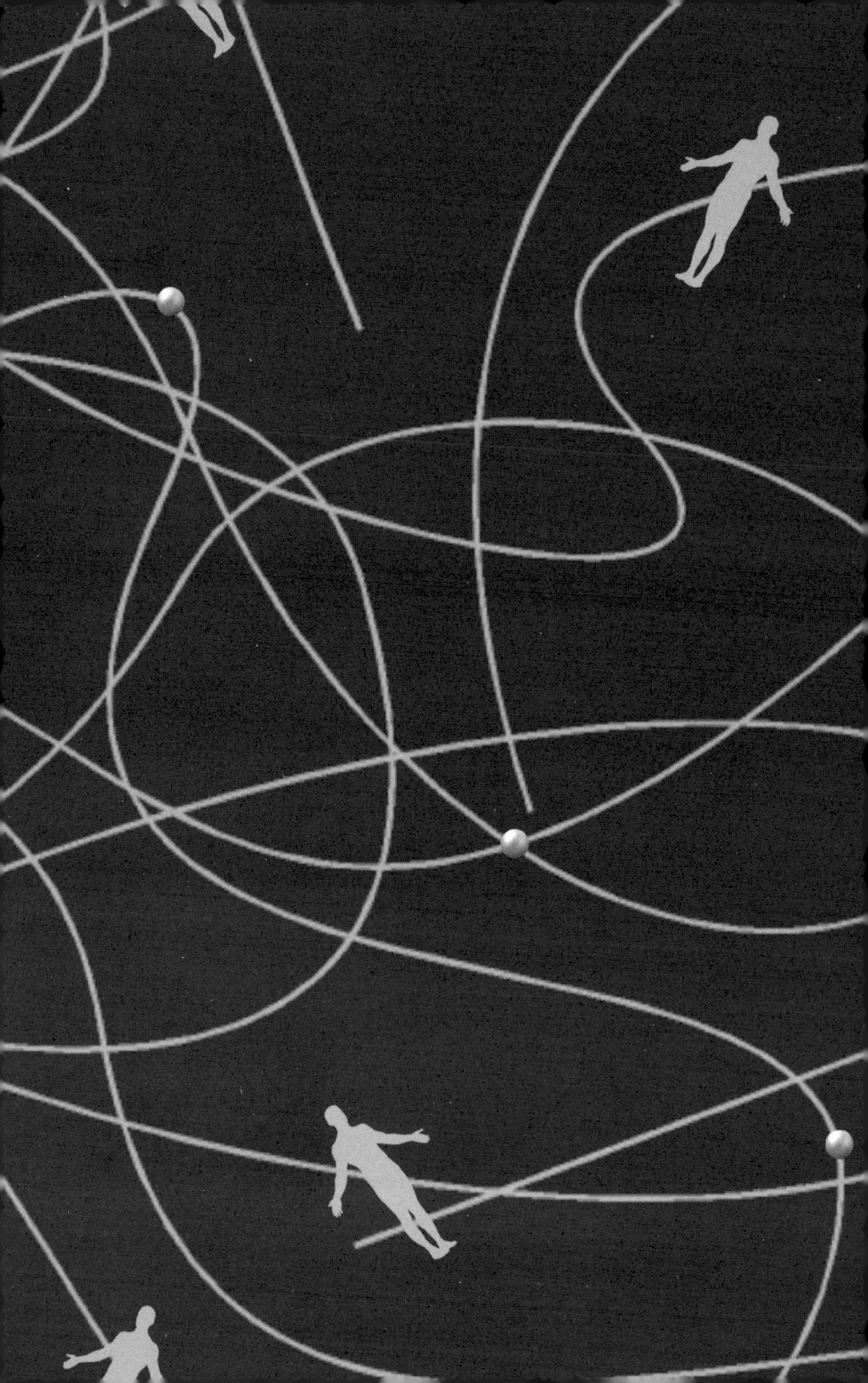

Encontro com Aurélio

Mais uma vez, após o sono do corpo físico, meu corpo espiritual foi convidado a conhecer um determinado ambiente no plano espiritual. Era um lugar muito bonito, uma espécie de centro de pesquisa com amplas instalações e com computadores por todas as salas, em um clima de silêncio e tranquilidade jamais imaginado em um ambiente coorporativo ou em um centro tecnológico do nosso mundo atual.

Eu me via em espírito em um lugar o qual eu podia ver várias salas com inúmeros computadores que monitoravam dados que, inicialmente, eu não sabia dizer o que eram. Embora fosse uma área grande com inúmeros computadores em pleno trabalho de gerenciamento de algo, consegui perceber poucas presenças naquele local destacado por sua sofisticada tecnologia. Alguns especialistas trajados de branco, com uma espécie de uniforme padrão, levemente formal, que se assemelhava com ternos.

Eu e Cristopher paramos na porta de entrada daquele centro de tecnologia e, pela porta espessa de vidro, podíamos avaliar a rotina daqueles poucos especialistas em meio às suas rotinas, evidentemente ligadas a algum tipo de análise e monitoria de dados.

Cris acenou amistosamente para um dos analistas do local que, à distância, retribuiu o gesto. Ficamos ali, de pé, por mais alguns minutos, apenas observando aquelas centenas de computadores acomodados nas diversas salas envolvidas em vidros por todos os lados.

Pouco tempo depois, apareceu o coordenador técnico daquela estação de monitoria. Sorrindo para nós, chegou abraçando Cris em uma demonstração de muito carinho e respeito. Não obstante, em um gesto mais carinhoso e bem-humorado ainda, também veio me abraçar e saudar: "Oi, Bruno! Vamos trabalhar?"

Meio atrapalhado, devolvi o abraço em igual afeto para depois confirmar que estava pronto para o trabalho. Foi assim que conheci Aurélio – um ser de grande estatura, magro, cabelos dourados, encaracolados e olhos castanhos.

"Eis o nosso guia para os aprendizados que estão por vir" – disse Cris, demonstrando alegria.

Fiquei muito feliz com a presença do novo orientador, já eufórico para saber o que estava por vir.

Adivinhando meus pensamentos, Aurélio começou a me explicar que eu tinha sido levado para aquele lugar com o propósito de conhecer as estações de envios e os pormenores da monitoria dos NEC's. Então percebi que aquele sofisticado local desempenhava algum trabalho relacionado ao tema central deste livro, as Ativações Espirituais, oferecidas em especial pelo efeito dos Núcleos Energéticos de Consciência (NEC's), abordado no início deste livro.

Sem demora, Aurélio acionou mentalmente o comando da porta principal, e assim nos conduziu pelos corredores que antecediam as salas que abrigavam os inúmeros computadores. Enquanto caminhávamos pelos corredores que passavam pelos arredores das salas principais, separados de nós por um vidro de coloração levemente azul, embora profundamente transparente, colei o rosto no vidro para poder enxergar melhor o conteúdo exposto na tela de cada monitor. Eu conseguia ver nitidamente gráficos em movimento, assim como os equipamentos médicos da Terra, utilizados nos hospitais para monitoramento de sinais vitais. Entretanto, não era apenas um único gráfico na tela de cada monitor, eram muitos, com várias coordenadas, muitos fatores, diversas variáveis em movimentos que, sinceramente, eu não podia nem imaginar do que se tratavam ou o que cada elemento da tela significava.

Aurélio me disse que não poderíamos adentrar a sala, porque qualquer impulso mental externo poderia promover influências não desejadas nos comandos. Pude perceber por sua face séria ao falar desse detalhe, que se tratava realmente de algo muito delicado, cujo todo o cuidado e atenção eram necessários.

Para acabar com minha curiosidade, que já era enorme naquele momento, Aurélio começou a explicar os detalhes da rotina de trabalho daquela estação:

"Essa é uma entre tantas estações de envio e monitoria dos NEC's. Nesses sistemas, monitoramos a ação dos Núcleos nos corpos espirituais dos seres humanos, controlando seus efeitos, analisando eficiência e cumprimento do objetivo de cada um.

Todas as pessoas portadoras de NEC's recebem dessas estações os impulsos vibratórios específicos das programações feitas, e por meio desse sofisticado sistema, enviamos as qualidades necessárias por meio de ondas sintonizadas entre as estações e seus destinos.

Atualmente, existem na Terra vários sistemas que se assemelham a esse, obviamente envolvidos em uma estrutura muitas vezes mais rudimentar que as empregadas nessa estação. As TVs por assinatura, os veículos rastreados por satélites e até mesmo os controles remotos mais simples são somente alguns exemplos de sistemas de comunicação à distância que trabalham com emissão de ondas sintonizadas em frequências específicas, que desenvolvem interação com os mais variados objetivos.

Uma vez que um NEC é acoplado ao corpo energético de um encarnado, sua rotina é definida, acionada e controlada por estações como essa.

No sistema, armazenamos, com base em uma identificação especial, a configuração energética de cada indivíduo, que tem automaticamente calculado os parâmetros ideais de envio de pulsos vibratórios perfeitamente calibrados para os objetivos que se deseja atender. Uma vez que o NEC é acionado, o trabalho dos controles é manter as emissões de pulsos específicos, nos intervalos adequados para cada caso.

Sempre que uma pessoa constrói seu Núcleo, através da força da sua intenção, ela escolhe quais as qualidades que deseja. As estações, com base na identificação energética da pessoa, analisam as possibilidades e criam um receituário ou diagnóstico com alicerce nas necessidades e limitações de cada consciência. Por isso, além de manter o controle dos pulsos e das rotinas de envio, o trabalho de uma estação como essa é também definir se o pedido do solicitante encontra ou não a estrutura energética para se processar. Por exemplo: uma pessoa pode ativar um NEC com o propósito de atingir paz de espírito, outra pode desejar prosperidade material, já uma terceira pode querer atrair um grande amor. Em cada caso, o sistema mapeia o campo energético do solicitante e define a rotina de pulso e o tempo necessário para o atingimento da meta, sempre de acordo com a intenção focada no pedido de cada um.

Em muitos casos, a diferença energética entre a energia atual do solicitante e a vibração necessária para a conquista do objetivo é tão grande, que as estações definem programas extremamente leves, portanto, mais demorados, para que não produzam desequilíbrios nos encarnados.

Quando casos assim acontecem, se as estações enviassem os pulsos solicitados, sem pensar nas diferenças entre energia atual e energia futura, poderiam acontecer intensos desequilíbrios nos solicitantes, por não conseguirem manterem-se em harmonia pela ação de repentina mudança de vibração. Dessa forma, as estações criam os programas, com rotinas calibradas perfeitamente para cada solicitante, de forma que produzem resultados positivos, sem antes proporcionar crises ou conflitos. Em função dessas particularidades, os efeitos benéficos oferecidos pelos Núcleos podem aparecer em sete dias ou até mesmo em seis meses, um ano ou até mais. Tudo dependerá das frequências exigidas para cada Núcleo."

À medida que Aurélio ia explanando, sentia um misto de alegria e confusão mental, porque, ao passo que eu me deslumbrava com tão enriquecedora informação, brigava comigo mesmo para quebrar tantos paradigmas mentais e avançar firmemente na direção desse universo que se abria diante de mim. Eram tantos questionamentos, tantas dúvidas que até provoquei risos no amigo Aurélio ao disparar muitas perguntas ao mesmo tempo.

Então eu posso ter um NEC na minha aura, enviando pulsos para eu receber uma energia que me ajude a conquistar uma personalidade específica, provida de algum sentimento, comportamento ou atitude que eu queira? Comecei a questionar:

"Como eu faço isso? Qualquer um pode? Essa tecnologia sempre existiu? Quais as vantagens e benefícios? Como faço para ativar um NEC? Como eles funcionam especificamente?"

Nesse momento, pude ver Cris e Aurélio rindo abertamente da minha agitação mental. Usando palavras da Terra, percebi que meus professores se divertiam com meu comportamento quase compulsivo quanto às curiosidades que me deixei envolver. Não era para menos, em breves explicações, Aurélio me fez pensar sobre algo que jamais pude imaginar que existia. Eram muitas novidades de uma só vez.

Ainda com a face risonha, Aurélio continuou:

"Qualquer pessoa pode acionar um NEC, basta ter vontade, concentração, dedicação e intenção. Toda pessoa pode, entretanto, precisa lapidar sua capacidade de sustentar um padrão de energia psíquica limpa, focada no objetivo com bastante intensidade.

A existência da tecnologia dos NEC's está disponível para a humanidade desde 1997. Antes desse tempo, os técnicos do astral superior estavam realizando alguns ajustes nas estruturas necessárias para o perfeito funcionamento dos sistemas, bem como construíam as estações por diversas partes do globo. Em 2010, temos um número infinitamente maior de estações e estamos amplamente preparados para comportar a demanda que vem por aí e que faz parte dos planos do Grande Espírito Criador para seus filhos no atual momento de evolução. Com a utilização dos NEC's, os seres humanos poderão acelerar substancialmente seus processos de elevação moral, sublimando valores condizentes aos ideais da Vontade Maior.

Usando esses artefatos, qualquer pessoa poderá, pela força da intenção focada, conquistar resultados evolutivos jamais imaginados em espaços de tempo tão curtos. Esse é um recurso disponível para a humanidade sem precedentes na história dessa civilização. É o 'empurrãozinho' que estava faltando para a evangelização da alma humana.

A exemplo dos marca-passos que encontramos na medicina humana, que são equipamentos inseridos no corpo físico com o propósito de impulsionar o funcionamento do coração pelo estímulo magnético do mesmo, um NEC pode efetuar atividade de igual teor, cuja ativação acontece no campo energético, permeando a consciência espiritual com vibrações características dos objetivos que desejam atingir."

Ao observar Aurélio explicando, fiquei pasmo e eufórico ao mesmo tempo em vislumbrar o campo de possibilidades dessa tecnologia superior. Imagine você, leitor, que se uma pessoa precisa de mais paciência, então ela poderá ativar um Núcleo para receber pulsos dessa frequência específica.

Já ouvi muitas vezes, nas situações mais rotineiras da vida, uma pessoa se lamentando dos problemas, concluindo a lamúria com frases como: "Estou precisando de uma dose extra de paciência." Assim, comecei a rir abertamente naquele local tão incrível, sendo observado pelos dois nobres amigos, que também se divertiam com minhas conclusões.

Perguntei ao Aurélio:

"Então isso é real? Isso é realmente possível, correto? Doses de paciência, amor, saúde, fé, alegria, são possíveis pela ação dos NEC's e as estações de envio?"

Ainda sorridente com meu jeito de refletir, Aurélio confirmou minha impressão fazendo um comentário:

"Esse é o seu maior objetivo aqui, entender as possibilidades dessa tecnologia importada das esferas superiores, para que você possa narrar a todos os encarnados essa 'boa nova', cujo campo de possibilidades e capacidades é ilimitado."

Continuamos caminhando calmamente pelos corredores de acesso daquele local lindo, onde suas passagens eram completamente envidraçadas e que passavam pela frente das salas. Andando mais pelo recinto, percebi algo curioso que não tinha visto antes: a estação estava organizada de maneira muito semelhante a uma colmeia de abelhas, isso porque as salas pareciam células, todas elas em forma geométrica sextavada. Ao caminharmos pelas instalações locais, confirmei a minha primeira impressão, realmente eram pouquíssimos os trabalhadores que atuavam ali, não mais do que cinco.

As salas, a exemplo das células de uma colmeia, abrigavam cada uma muitos controladores, computadores e monitores responsáveis pelo envio e monitoria dos pulsos necessários a cada NEC. Segundo Aurélio, aquela estação utilizava como centro gerador de energia um tipo de cristal com qualidades não encontradas no plano físico, que dispõe de potencial pouco conhecido pela humanidade. Aqueles sistemas utilizavam a energia acumulada nesse cristal – que não tivemos acesso visual – para remeter aos solicitantes as qualidades energéticas desejáveis em forma de pulsos vibratórios com frequências específicas de cada objetivo.

Continuando a nossa visita, adentrando aquele sofisticado ambiente, pude perceber a dimensão do local, pois quando procurei visualizar o que vinha mais adiante, percebi uma área inimaginável, com centenas de salas ou, como disse anteriormente, células. Observando tudo aquilo, conclui a magnitude do projeto do Plano Espiritual para todos os humanos. Mesmo espantado e até atordoado com tantas descobertas, o que mais me chamou a atenção é, que quando observava as células mais distantes, comecei a perceber algo novo que na minha euforia de "estagiário" tinha passado em vão. Cada célula produzia um tipo de aura, uma espécie de cinturão ao seu redor, que cintilava uma energia, uma luz específica. Apenas quando olhei em um panorama geral foi que consegui enxergar com nitidez.

Interferindo no meu pensamento, Cris me explicou que as células se diferenciavam quanto ao padrão energético dos solicitantes, bem como a frequência da vibração dos objetivos.

À medida que eu processava o que Cris me dizia, comecei a ver salas em que a aura ao redor tinha um brilho mais evidente que as outras, mais iluminadas mesmo, no sentido amplo da palavra. Cris continuou explicando:

"Alguns solicitantes são pessoas envolvidas em projetos coletivos, de natureza consciencial elevada, com propósitos abnegados, altruístas, de alta moral. Essas salas são reconhecidas por uma emanação de um cinturão de tons brancos e violáceos ao redor delas, com impressão de um brilho magistral."

"Sim, sim!" – eu disse com empolgação – "Estou vendo, são lindas, magnéticas... Que beleza de energia!"

Não pude conter a minha excitação, porque sabia que aquelas salas já estavam atuando talvez com projetos nobres, evoluídos, portanto, amparados de perto pelos mestres das atmosferas mais sublimes.

Então Aurélio emendou a explicação de Cris:

"Alguns Núcleos estão pulsando vibrações elevadíssimas para grandes seres encarnados. Espíritos evoluídos, encarregados de grandes projetos de transformação humana, em diversas áreas de atuação que vão da política até a música, esportes, ecologia, educação e muito mais."

Uau! Fiquei empolgadíssimo com a notícia que ouvia de Aurélio e, pensando em voz alta, disse:

"Eu sempre achei que o mundo iria melhorar muito, eu sempre acreditei, agora vai!"

Interferindo na minha exaltação de principiante, Aurélio me trouxe novas informações para meu entendimento mais profundo dos pormenores dessa tecnologia para evolução humana. E assim ele emendou:

"O fator limitante é que ainda temos sérias barreiras a serem transpostas para que a missão dos NEC's seja difundida em sua totalidade. O mais interessante é que todas elas dependem do comprometimento dos seres encarnados para serem superadas.

Vamos aos principais desafios:

1º Desafio: Pouquíssimas pessoas sabem como ativar um Núcleo Energético de Consciência.

2º Desafio: Mesmo que seja ativado e que essa pulsação benéfica comece a produzir efeitos, cabe ao solicitante manter-se com atitudes elevadas para que os NEC's não sejam dissolvidos. Uma vez que um solicitante desenvolva atitudes e pensamentos de baixa moral, degradantes ou ainda pautadas em valores desconectados com a Vontade Maior, automaticamente produzirá um colapso nos núcleos que os desintegrará em segundos, cortando as pulsações benéficas imediatamente.

3º Desafio: Talvez esse problema seja o mais corriqueiro. A mesma estrutura energética que é compatível para a ativação de NEC's com propósitos elevados, também pode ser utilizada pelos seres inferiores, do astral denso, com o propósito obsessivo de roubo de energia, que é o parasitismo ou ainda o vampirismo realizado pela ação de dispositivos extrafísicos.

Infelizmente, esse terceiro tópico é o que mais afeta o trabalho do plano superior, porque a mesma tecnologia utilizada para o bem, também é amplamente utilizada para o mal. Existem inúmeras estações como essa, sob domínio de espíritos peritos na nefasta arte do vampirismo energético. Atualmente, a humanidade, em grande parte, recebe com frequência implantes extafísicos que fazem o trabalho exatamente inverso aos NEC's. Esses implantes absorvem fluidos vitais dos seus parasitados e os enviam aos laboratórios do baixo astral para serem acumulados na forma de baterias – assunto que será tratado posteriormente – amplamente utilizadas pelos *Phantons*[6] e outros seres que se utilizam elevada tecnologia para uso indiscriminado de energia vital em seus planos nefastos.

---

[6] São especialistas das sombras responsáveis por liderar abrangente organização empenhada na ação de roubo de energias vitais. São espíritos peritos nas diversas técnicas de obsessões, com raio de ação focado principalmente nas investidas de grande porte, em grandes grupos de pessoas e, principalmente, se utilizando de sofisticadas tecnologias sutis. São verdadeiros engenheiros do mal. A ação desses seres é sempre muito silenciosa e zelosa, o que faz com que quase nunca sejam percebidos, tamanha é a perícia que se locomovem no ambiente extrafísico, daí o apelido dado, *Phantons*, que quer dizer fantasmas.

Além disso, esses seres distanciados da verdade do Grande Espírito Criador desenvolveram um equipamento muito eficiente, que se assemelha a um bastão cromado de pouco mais de 15cm de comprimento que, ao ser acionado, dispara raios como choques elétricos múltiplos, que são utilizados na tarefa de desintegração dos NEC's. Portanto, além da destruição que pode ser causada pela baixa na vibração do solicitante, com bases em pensamentos e emoções negativas que são acumuladas na rotina do dia a dia, contamos com mais esse incômodo, que é a ação dos Dinits[7], que são mensageiros da escuridão, com ampla habilidade na utilização desses bastões de choques múltiplos, que destroem os NEC's em centésimos de segundo.

Essa abordagem dos Dinits acontece com certa facilidade nos ambientes carregados de energia negativa, pesados, nefastos e também durante o descanso do sono, no período em que o corpo espiritual dos encarnados se projeta para fora do veículo físico, ficando parcialmente e temporariamente liberado do mundo material. Se a pessoa não estiver envolvida de bons pensamentos e elevada sintonia espiritual no momento do repouso, esses mensageiros da escuridão agem com substancial facilidade, reduzindo às cinzas os implantes benfeitores."

Naquele momento, comecei a entender a profundidade do problema, que novamente girava em torno do

---

[7] Os Dinits são um grupo de especialistas que trabalham a serviço dos *Phantons*. São os técnicos peritos nas tecnologias de obsessão pelos implantes espirituais.

nosso padrão consciencial, pois, além da dedicação intensa que devemos impor para ativar os NEC's em nossos corpos energéticos, devemos ter um disciplina moral elevadíssima para não permitirmos a sua desintegração. Assim analisando, pude compreender a dimensão do desafio. Embora um pouco desmotivado com a evidência dos pontos negativos apresentados, senti confiança ao perceber que tanto Aurélio como Cris tinham algo simples, entretanto profundo, como esperança e instrumento para mudar essa realidade: a consciência!

Assim, Cris evidenciou:

"Se os acontecimentos e os aprendizados narrados nessa visita forem aplicados com força e dedicação por todos os seres que assim desejarem, poderemos aumentar substancialmente o raio de ação da tecnologia dos NEC's. Sempre existirão pessoas distraídas de suas missões pessoais, todavia, de forma muito intensa, portanto esperançosa, muitas pessoas estão despertando para os valores espirituais em todo o globo terrestre."

Eu estava um pouco estafado com a profundidade das informações, bem como a importância delas, mas ao mesmo tempo estava feliz, porque entendi a amplitude do projeto que estava em expansão entre nós encarnados. Uma tecnologia sem precedentes, baseada nas Ativações Espirituais, produzidas por pulsações elevadas, transmitidas a Núcleos Energéticos de Consciência que, uma vez construídos e mantidos, poderiam mudar nossas vidas definitivamente. Além disso, reconheci com toda a força do meu ser a presença de um Deus que nos ama e que trabalha sem cessar para que atinjamos níveis cada vez mais elevados de consciência e evolução.

Concluindo silenciosamente meu raciocínio, Aurélio me olhou com aprovação, concordando com minhas reflexões, entretanto, dessa vez o fez com um olhar tão profundo de amor e carinho que não contive a emoção e a alegria por participar do projeto de expansão dessa tecnologia.

Estávamos agora em uma linda sala, com notória arquitetura que impunha respeito por sua tecnologia de ponta, mostrando ao fundo uma espécie de cachoeira que fluía na própria parede, mantendo a pureza da energia do local.

Abraçamo-nos os três em um sentimento de alegria e amor sem igual. Subitamente, da encantadora parede, surgiram as cores de Astrol – o azul e o verde esmeralda – mostrando que, de onde ele estivesse, estava vibrando por nós. Mais emocionado ainda, agradeci as bênçãos do amigo das estrelas e contemplei aquele momento com muita gratidão a Aurélio e Cris por todas as bênçãos recebidas na visita.

Mais consciente do projeto e dos seus pormenores, além da evidente participação de Astrol, senti-me abundante de gratidão para continuar em frente na atividade de narrador dos eventos que viriam a seguir.

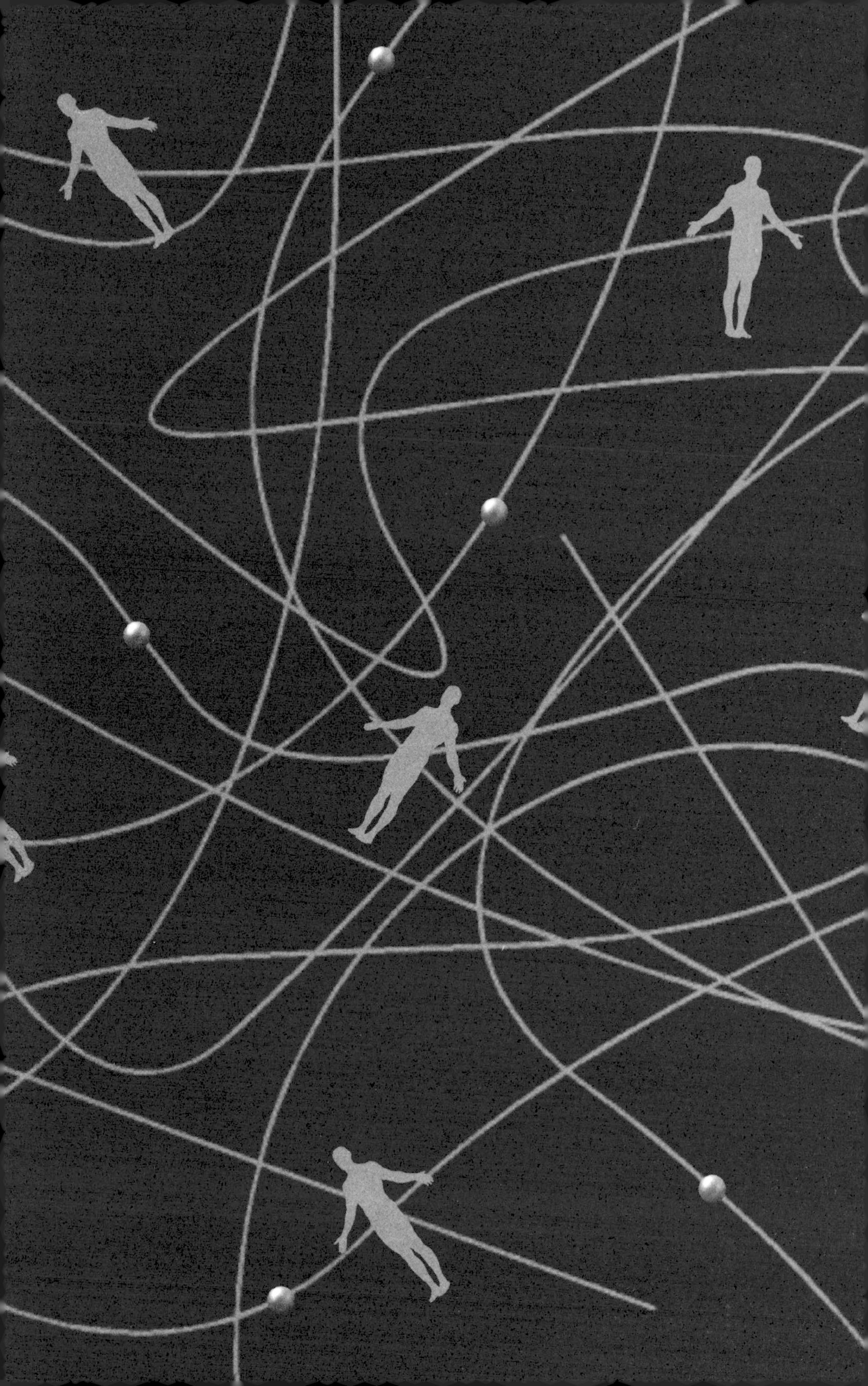

Baterias energéticas do plano denso

Assistindo um Filme no Plano Espiritual

Encontrei-me com Cris naquele mesmo ambiente já descrito na introdução deste livro. Uma biblioteca no plano astral, com proporções enormes, dotada de muitos andares.

Cristopher me esperava sentado em uma cadeira junto a uma mesa de madeira grande. O ambiente estava silencioso e calmo. Uma bela claridade solar vinha do alto iluminando harmoniosamente todo o local. Cris estava de posse de um livro grosso, o qual tinha a intenção de abrir para me mostrar algo. Quando tocou no livro, como se abrisse em uma página qualquer, percebi que foi projetada no ar uma espécie de imagem, como de um cinema, em proporções um pouco menores do que conhecemos na Terra. Nessa tela, começou a surgir em três dimensões um filme que deveria ser assistido por nós para que pudéssemos compreender os passos a seguir na narrativa dessa obra.

Diferente das outras situações descritas, em que estivemos presentes nos locais onde os fatos aconteciam, Cris disse que esse conteúdo teria a narrativa feita pela observação de um documentário gravado que estava armazenado naquele livro.

Eu achei aquilo engraçado, porque estava em um local no plano sutil assistindo um filme, fiquei mais uma vez surpreso. A imagem de abertura do documentário estava congelada no ar, aguardando o comando do orientador para que começasse a rodar. Foi quanto Cris me explicou:

"Essa narrativa será baseada em um estudo feito por pesquisadores dos orbes superiores que, através de diversas jornadas silenciosas, por algumas estações tecnológicas do plano denso, conseguiram descobrir muitas informações interessantes sobre o trabalho das sombras e suas estratégias para vampirizar a energia vital dos encarnados. Essas gravações que serão exibidas a seguir são fruto de certo tempo de observação minuciosa realizada por esses técnicos, emissários dos Mestres de Luz. Esse estudo foi encomendado por Astrol para evitar que precisássemos descer com você até as regiões mais densas do Astral inferior e com isso evitar uma afetação energética do seu corpo espiritual, que teria como consequência o aparecimento de sintomas físicos no seu corpo gerando profundos incômodos na sua vida cotidiana. Dessa forma, Astrol coordenou essa equipe de técnicos na tarefa de observação sigilosa de alguns laboratórios que dominam a técnica da fabricação e utilização das Baterias Energéticas nos ambientes das trevas."

Com o comentário de Cris, percebi que entraríamos em um aprendizado muito interessante. Mesmo assim, antes de assistirmos o desenvolvimento do tema naquela tela, não pude conter a curiosidade e, antes de tudo, quis saber mais sobre essa questão de prevenir interferências nocivas em minha energia geral e, por conseguinte, em meu corpo físico. Tomado por muitos questionamentos internos e uma aguda curiosidade, fui logo perguntando:

"Então, a gravação desse documentário foi necessária para me privar de sofrimentos físicos? Como assim? Explique mais, por favor!"

Então Cris aprofundou:

"Sabemos da sua tarefa terrena junto aos projetos de expansão da consciência espiritual do ser humano, desenvolvido pelos cursos e palestras que você e todos os seus colegas de grupo realizam. Entendemos a importância dessas atividades e, por isso, foi considerado que, se você seguisse o grupo de pesquisadores em projeção astral[8] na tarefa de observar as rotinas desses antros espirituais, iria sofrer uma afetação negativa no seu desempenho junto aos trabalhos da Terra, pois você padeceria de muito cansaço por vários dias seguidos, o que impediria que você pudesse desfrutar de sua saúde plena, motivação e ânimo, tão necessários para sua atuação no desenvolvimento das atividades.

O fato de você ser alguém encarnado, portanto possuidor de uma aura menos sutil que a do Plano Espiritual, certamente favoreceria o aparecimento de desequilíbrios

---

[8] É a faculdade que a alma tem de se projetar para fora do corpo físico durante o sono. Mantém-se ligada ao físico por meio do cordão de prata. Existem dois tipos de projeção basicamente, a consciente, em que o projetor tem discernimento sobre seus atos e pensamentos e a não consciente, em que não há lembrança da saída do corpo.

mentais e emocionais em sua estrutura energética, provocado pelas oscilações vibracionais das zonas inferiores a que seria submetido. Como os pesquisadores são espíritos do astral superior, já peritos na arte de adensamento de suas auras, eles não enfrentariam maiores dificuldades para transitar entre os ambientes mais poluídos energeticamente pelos irmãos ainda distanciados da vontade do Grande Espírito Criador. Portanto, ponderando sobre as influências que você sofreria, Astrol concluiu que a narrativa deveria ser feita com base nesse arquivo filmado, que será exibido em seguida."

Puxa vida! Fiquei muito feliz com o zelo do iluminado Astrol. Refleti naquele instante sobre as inúmeras vezes que, sem motivo algum, acordava cansado, mesmo depois de uma boa noite de sono, ainda assim, despertava de manhã quase que sem vontade de levantar, tal era meu nível de desvitalização.

Interferindo em meus pensamentos, Cris continuou:

"Sim, muitas vezes você foi projetado para fora do corpo durante o sono do aparelho físico, mas seu corpo espiritual era guiado por nós, seres do astral superior, para viagens diversas por vários lugares com o propósito de estudo, conhecimento e ajuda a outros seres encarnados ou desencarnados. Como seu corpo espiritual é de um encarnado, seu magnetismo exala uma vibração muito mais densa que a dos espíritos desencarnados aqui de nossa região, assim você e tantos outros, nos fornecem energia adequada para muitos casos de socorro que prestamos em diversas situações da existência. Essa prática é muito normal entre todos os seres de boa intenção que se colocam à disposição para ajudar os amparadores espirituais em suas tarefas corriqueiras de amparo a todo tipo de caso pensável ou impensável para vocês encarnados.

E nessa importante tarefa realizada por experientes e abnegados amparadores espirituais, diversas vezes, enquanto vocês dormem, seus corpos espirituais são conduzidos por esses nobres seres por regiões muito perturbadas da crosta ou mesmo cidades astrais de vibrações densas. Quando um encarnado, mesmo que desenvolvendo uma sublime tarefa, voltada a prestar socorro para seu próximo, atua nessas regiões, ao retornar ao seu corpo físico, no começo de um novo dia, mesmo que sinta inconscientemente uma sensação de missão cumprida, ainda assim, sentirá 'nas costas' o desgaste provocado pelas tarefas desempenhadas além da matéria. Veja que não é muito diferente do trabalho que acontece no plano físico, em que um médico, por exemplo, depois de uma intensa jornada de trabalho, frente a um pronto socorro, certamente encontrará seu nível de energia vital abalado no final do expediente, mesmo que esse profissional tenha realizado uma tarefa nobre de amparo aos necessitados de cuidados emergenciais.

Muitos médiuns participam dessas atividades, semiconscientes ou plenamente conscientes, o que quer dizer que, quando acordam, lembram-se perfeitamente das atividades desempenhadas. Entretanto, a maioria dos trabalhadores encarnados não se lembra de nada após o despertar do corpo físico para a vida material. Mesmo assim, muitos, embora não se recordem do ocorrido durante o descanso do corpo físico, desempenharam intenso trabalho junto às esferas mais sutis da existência terrena."

Eu estava feliz com aqueles aprendizados e pronto para seguir a diante, ainda mais com esse sentimento de proteção e zelo que senti por parte do coordenador do projeto deste livro, Mestre Astrol. Dessa forma, fiz sinal de positivo, afirmando para Cris que estava pronto para assistir os eventos que seriam exibidos.

Cris projetou um comando que imediatamente provocou a formação de um envoltório luminoso transparente, levemente azulado, que nos selou em uma espécie de câmara. Imediatamente, após a formação dessa sala, o documentário começou a ser exibido.

Confesso que, inicialmente, me senti em um daqueles cines 3D de parques de diversão de nosso mundo, em que simulamos a entrada com naves espaciais por ambientes inóspitos na direção das profundezas da Terra. Realmente me senti dentro da expedição, tal era a sensação de realidade virtual provocada pela tecnologia apresentada por Cris. Por isso, decidi narrar os fatos que assisti como se realmente eu os tivesse vivido.

Era uma espécie de ônibus espacial, que avançava em meio a essas formações geológicas do interior da Terra. Na embarcação, dois especialistas trajados com uniformes do tipo futurista, de cor branca metálica, com detalhes azuis nas botas, na gola e nos punhos. Os dois especialistas de aparência magra, 1,75cm de altura, demonstrando não mais de trinta anos cada um. Enquanto mantinham-se no interior da nave, estabeleciam contato constante com um centro de comando que os orientava sobre as condições de navegação, bem como sobre o nível de energia da nave e sua frequência de vibração. Nessas expedições, esses veículos especiais são disfarçados pela ação de campos energéticos artificiais, construídos externamente à nave, com o propósito de evitar que sejam detectados pelas legiões de mestres das trevas. Uma vez descobertos por esses seres, todo o trabalho seria perdido, já que quando descobrem que estão sendo monitorados, imediatamente desmancham suas instalações e partem para outros submundos, em locais novos que ainda não tenham sido mapeados pelos Mestres de Luz.

A destreza mental, a concentração e as competências desses dois técnicos de pouca idade me chamou muita atenção. Eles tinham capacidades impressionantes. Comunicavam-se entre si apenas pelo olhar e pelo pensamento.

Estacionaram a nave atrás de uma formação rochosa, ampliaram o campo de visão de suas câmeras externas, deitaram o encosto de seus bancos, acomodaram-se como se fossem dormir, posicionaram em suas cabeças equipamentos muito semelhantes a fones de ouvidos, respiraram fundo e, finalmente, acionaram uma série de botões que eu não sei precisar bem para que serviam. Entre diversos que existiam, um eu percebi que acionava um equipamento destinado à gravação das imagens que seriam captadas.

Então, para minha surpresa, toda a captação de imagens seria feita através desses equipamentos semelhantes a fones de ouvido, que possuíam sensores externos, que se confundiam a pequenos insetos, voando por todas as paragens do ambiente. Fiquei encantado com a tecnologia, mas mantive a concentração.

Naquela região existiam apenas rochas e um tipo de fumaça que surgia nem sei dizer de onde, pintando de cinza o ambiente. Os técnicos firmaram mais ainda a concentração mental, quando na base frontal daquelas rochas, um movimento muitíssimo rápido de uma porta escura se abrindo aconteceu. Na velocidade do pensamento, os técnicos introduziram o sensor que mais parecia um mosquitinho minúsculo, através daquela abertura que apareceu em frações de segundo.

Entrando, avistamos uma recepção no ambiente. Nele, uma bela mulher sentada, com trajes elegantes, seu corpo trazia uma aparência que é difícil de ser traduzida. Talvez uns 45 anos de idade, cabelos ruivos na altura do pescoço, com pele cor de jambo e uma saia na altura dos joelhos que marcava o seu corpo. Ela até aparentava-se bem arrumada, mas uma coisa me causou uma péssima impressão, mesmo que ela não estivesse fumando, quando ela abria a boca, soltava fumaça de cigarro. Nesse momento, pude ver que seus dentes eram muito feios, escurecidos. A pele de seu rosto era manchada e sua gengiva era tomada de uma coloração quase preta, provavelmente devido à ação dos elementos tóxicos do hábito de fumar. Naquela hora pensei: Até aqui esse pessoal fuma! E foi o que vi, de tempos em tempos, essa atendente que mais parecia uma governanta, fumando um cigarro atrás do outro.

Nesse momento, querendo saber mais sobre isso, perguntei ao Cris:

"Como é possível a pessoa utilizar elementos da Terra, como o cigarro, mesmo no Plano Espiritual e mais especificamente nas regiões escurecidas?"

Então Cris me explicou algo que eu não tinha percebido antes:

"A causa maior dos processos obsessivos de ordem espiritual acontece com o objetivo de fornecer energia aos mestres do mal, para que, de seus ambientes sombrios, consigam construir suas realidades, com seus apegos, vícios e hábitos tão depreciativos. Quando os seres de alma escurecida pelos enganos e ilusões conscienciais desencarnam, acumulam em suas histórias uma grande cota de atitudes maléficas e equivocadas, com toda forma de crimes e desventuras. Ao regressarem à dimensão espiritual, deparam-se inevitavelmente com as leis universais ou verdades imorredouras que regem a evolução da humanidade. Nesse momento, percebem que seus atos negativos não passam desapercebidos e que, por consequência, para abrandamento de seus carmas, precisarão retornar à experiência terrena, em sucessivas encarnações, para reparo de seus males, bem como para a lapidação essencial de suas almas.

De posse dessa realidade e conscientes do tamanho da conta, decidem se esquivar o tempo que for possível da ação recicladora dos ciclos reencarnatórios, porque sabem que a tarefa que os espera será árdua, enrijecida, totalmente privada de benefícios. Em outras palavras, esses seres assim chamados de endividados, no contexto da evolução do espírito, fogem da reencarnação mais do que o 'Diabo da Cruz'. Entretanto, o fato de fugirem da ação natural das reencarnações não os distancia da necessidade de saciar seus apegos mundanos, dos seus vícios animalizados e dos prazeres da carne. Essa expressão, 'Diabo da Cruz', traz a mensagem de que quando o espírito endividado decide se render à ação regeneradora das reencarnações, que tem o objetivo de moldar a evolução espiritual de que cada ser necessita, terá que aceitar toda pedagogia universal, ou melhor dizendo, a força da lei de causa e efeito. Dessa forma, ele sabe que as experiências reencarnatórias que lhe esperam serão crivadas de muito sofrimento, privações e outros desafios. Com o objetivo de se preservarem, movem todos os recursos possíveis para postergar a ação implacável das leis naturais. Digo postergar, porque todos esses seres sabem que, um dia ou outro, terão que pegar o caminho de volta ao coração do Grande Espírito Criador.

Sendo assim, pelo poder da manipulação mental de fluidos vitais constroem suas realidades, mesmo que ilusórias, para ficarem, mesmo nas regiões infernais, gozando de seus apegos e luxos. Claro que, nesse processo, nem todos os espíritos endividados conseguem ter domínio sobre essas capacidades de construir realidades vibratórias semelhantes aos paraísos da Terra. São seletos especialistas que dominam essa tecnologia no plano denso, e por isso se destacam ante aos demais, construindo seus impérios estruturados fundamentalmente nas ações obsessivas.

É importante entender que, assim como a vida na Terra precisa de diversas fontes de energia para se manter em movimento, o astral denso também precisa. E a fonte da energia utilizada vem de um único lugar, o plano físico da Terra.

Todos os espíritos desencarnados, renunciantes do processo evolutivo imposto pelo Grande Espírito Criador, padecem da necessidade de se alimentar de fluidos vitais unicamente produzidos por nossos campos energéticos, de espíritos desencarnados, mas principalmente de encarnados, em que o manancial de fluidos vitais de alta densidade, portanto mais versáteis e potentes, são mais abundantes.

Qualquer espírito desencarnado, em desequilíbrio, sedento por energia vital, poderá exercer influência sobre outro espírito, seja encarnado ou desencarnado, com o propósito de abastecer-se. Entretanto, pouco tempo depois, sua sede de energia vital voltará. Dessa forma, ele existirá apenas em função de sua carência, como um viciado em drogas, por exemplo, fissurado pela próxima 'viagem', sem medir as consequências dessa prática escravizante, portanto destruidora. Sendo assim, todos os espíritos do orbe espiritual, enveredados ao lado oposto da evolução natural pela via das sucessivas experiências terrenas, são escravos da energia vital mundana, porque dependem desse fluido primordial para se alimentarem e principalmente para manterem seus estilos de vida além da matéria, como se ainda estivessem habitando o plano físico, gozando das melhores mordomias que um encarnado poderia sonhar.

Existem inúmeros empregos dessa energia patrocinada pelo mundo físico, o combustível primordial das trevas. Logo, o plano denso, ao longo do tempo, desenvolveu e se especializou em diversas técnicas de vampirismo energético, empregando, para isso, tecnologias cada vez mais evoluídas. O vampirismo 'homem a homem' é coisa do passado! Atualmente, os mestres das sombras detêm uma série de instrumentos e sistemas que potencializam o processo de roubo de energias vitais para fins anteriormente citados."

Com essa explicação de Cristopher, consegui compreender melhor o papel dos seres malignos, magos do mal ou qualquer nome que possa lhes ser dado. São espíritos lutando contra as rodas de reencarnação para que não precisem confrontar as consequências de seus atos com ações reparadoras que certamente lhe causarão muito sofrimento. Apegados aos seus estilos de vida nas zonas cinzentas do astral inferior, especializam-se cada vez mais nas artimanhas do vampirismo sobre encarnados, de todas as formas possíveis. Após essa conclusão, voltei novamente a atenção ao documentário que era exibido em 3D.

Acompanhando a movimentação daquela estranha atendente, percebemos que ela se dirigiu ao que chamaríamos de linha de produção. Era um galpão com não mais de que trinta trabalhadores, entidades com aparência feia, com olhos avermelhados, com traços estranhos e que eu não saberia comparar a algo da Terra. Seus cabelos mais pareciam tentáculos de um polvo. Eram operários profundamente especializados na tarefa que desempenhavam com total esmero.

Eles operavam uns equipamentos sinistros, como se fossem uma espécie de parafusadeira pneumática que, ao serem acionadas, preenchiam uma cápsula feita de um material transparente, que continha em seu interior um tipo de metal muito parecido com ferrite de bário (liga metálica que na Terra é utilizada para criar campos magnéticos conhecidos como imãs). Naquela cápsula transparente que continha no seu interior esse metal era injetado junto, por meio desse equipamento que parecia mais uma parafusadeira pneumática, um líquido escuro, parecido com petróleo, viscoso, que tinha em sua mistura alguma substância que mostrava tons avermelhados, que se movimentavam com vida, como se fossem raios elétricos. Também pude perceber raios azuis envolvendo a estranha substância.

Após seu enchimento, a cápsula era lacrada com um tampa que continha duas espécies de eletrodos. Era possível ver as cápsulas, uma a uma, sendo envasadas, lacradas e acomodadas em uma esteira rolante que as levava para um depósito que eu não podia ver.

Embora fosse um ambiente perturbado, envolto em uma aura de maldade e frieza, mesmo assim, fiquei surpreso com o processo e sua tecnologia. Também pude ver que nessa unidade, os operários produziam mais de um tipo de cápsulas, que se diferiam em tamanho.

Observando com mais atenção, percebi que se tratava de equipamentos que lembravam um tipo de bateria, como as utilizadas em automóveis, entretanto, de formato arredondado, produzidas em um material estranho, muito transparente e resistente, que se assemelhava a um tipo de vidro especial. Logo depois dessa etapa de produção, as baterias eram testadas, embaladas em caixas muito especiais que me provocou admiração. O curioso é que a caixa utilizada para a embalagem do produto tinha internamente uma programação que, quando a cápsula da bateria entrava nela, uma espécie de ilusão era criada e, de forma aleatória, produzia a impressão de que nada existia ali, apenas uma embalagem com a parte interna escura, revestida por uma substância que mais parecia asfalto.

Os técnicos de embalagens daquele local produziam uma programação com códigos na caixa, que permitia que apenas o comprador pudesse enxergar seu conteúdo. Inacreditável a tecnologia que vimos ali naquele local.

Tudo indicava que essa artimanha foi desenvolvida para evitar roubos de carga, muito comum entre as paragens do astral denso. Esse tipo de bateria tem peso de ouro nessas regiões, portanto, todo cuidado que os laboratórios têm é pouco nesse sentido. Ao continuar nossa espionagem, pudemos concluir a veracidade desse fato. Em uma sala ao lado do setor de embalagens, estavam outros técnicos de programação, codificando as cápsulas com senhas secretas, apenas informadas aos compradores.

Pelo que percebi, as baterias não teriam como ser acionadas por ninguém, senão pelo próprio comprador, mesmo que fosse roubada durante seu transporte, de nada seria útil nas mãos de ladrões diversos, que não ao seu verdadeiro dono.

Outra coisa que presenciamos com total clareza foram as senhas. Elas só eram fornecidas após a confirmação do recebimento por parte do cliente. Quando o laboratório tinha total certeza da entrega nas mãos certas, confirmado por diversas vias, então fornecia ao comprador a sua senha de acesso ao conteúdo das baterias.

Essas baterias são reservatórios de energia amplamente utilizada para os espíritos das sombras organizarem seus impérios junto às trevas. Da mesma forma que na Terra temos a energia elétrica para produzir inúmeros benefícios, além do combustível fóssil que dá origem a inúmeras matérias-primas e ainda impulsionam tantos motores, no plano das trevas, essas baterias alimentam todas as criações.

Sim, estávamos diante de um laboratório secreto que pesquisava, produzia e vendia baterias energéticas capazes de levar adiante, cada dia mais, o estilo de viver separado das vontades do Grande Espírito Criador.

Na hora, pensei: Puxa, então porque os Mestres de Luz não determinam a extinção desses laboratórios agora mesmo?

Cris, captando os meus pensamentos, sorriu e, com certo desânimo no rosto, logo foi dizendo:

"O problema principal não são os laboratórios e as baterias que fabricam, mas a fonte da qual absorvem a energia, ou seja, a humanidade! São os seres encarnados que fornecem o fluido necessário para a engrenagem do mundo nefasto seguir rodando. No momento que a humanidade evoluir no seu universo de pensamentos e emoções, passando a agir com base nos ensinamentos do Cristo, a causa raiz do problema será eliminada. Por hora, de nada adianta destruir os laboratórios, porque em pouco tempo eles voltarão a existir em outras localizações, com tecnologias cada vez mais apuradas. Sempre que são desmascarados, tratam de procurar novos locais, cada vez mais discretos e disfarçados. Uma coisa é fato: eles jamais param de produzir suas baterias.

Podemos fazer uma comparação com o problema do tráfico de drogas no mundo atual. Sabemos que fechar as ditas 'bocas' de tráfico não resolve o problema. Portanto, mesmo que a polícia terrena atue com mais dedicação nos pontos de venda de tráfico e até nas redes de distribuição, a solução definitiva não aconteceria. Isso porque o problema das drogas tem causas sociais, políticas e espirituais. Enquanto a abordagem não for integral, também não teremos a solução definitiva do problema."

Com a explicação do amigo, fiquei muito animado para conhecer mais a fundo o papel da humanidade nesse processo todo e, principalmente, saber de que maneira todos nós, encarnados, estamos servindo de fonte de alimentação para o plano denso.

Nesse misto de apreensão e curiosidade, Cris me disse que logo adiante teríamos conhecimento desses detalhes.

Realmente foram muitas descobertas. Jamais imaginaria que os mestres das trevas detinham tamanha tecnologia. Além disso, pude compreender melhor, em uma noção de contexto ampla, a ação do plano denso e seus motivos. Atento a esse detalhe porque sempre me questionava quanto à ação do seres trevosos, me lembrava da visão estreita que algumas religiões têm sobre o bem e o mal. Agora estava tudo mais claro, por efeito dos apegos, do materialismo, pelos hábitos viciosos e animalizados, o ser humano se perde em seu caminho de busca por angelitude, e em cada ato denso acaba assentando um tijolinho na construção das estruturas umbralinas.

Sendo assim, precisamos batalhar ferozmente contra nossos vícios mundanos, apegos, vaidades e ignorâncias, porque senão seremos sempre alimentadores do astral denso.

Quando a exibição da gravação cessou, agradeci ao amigo Cristopher com um fraterno abraço, o qual retribuiu sem hesitar. No mesmo momento, com uma intenção forte e devotada, expressei minha gratidão ao Mestre Astrol e ao Todo Poderoso pelas lições obtidas. E assim finalizamos com um pedido bem fervoroso aos céus: Que Deus nos dê força para vencer esses desafios!

"Ele dará!" – respondeu Cris.

A Construção dos Núcleos Energéticos de Consciência

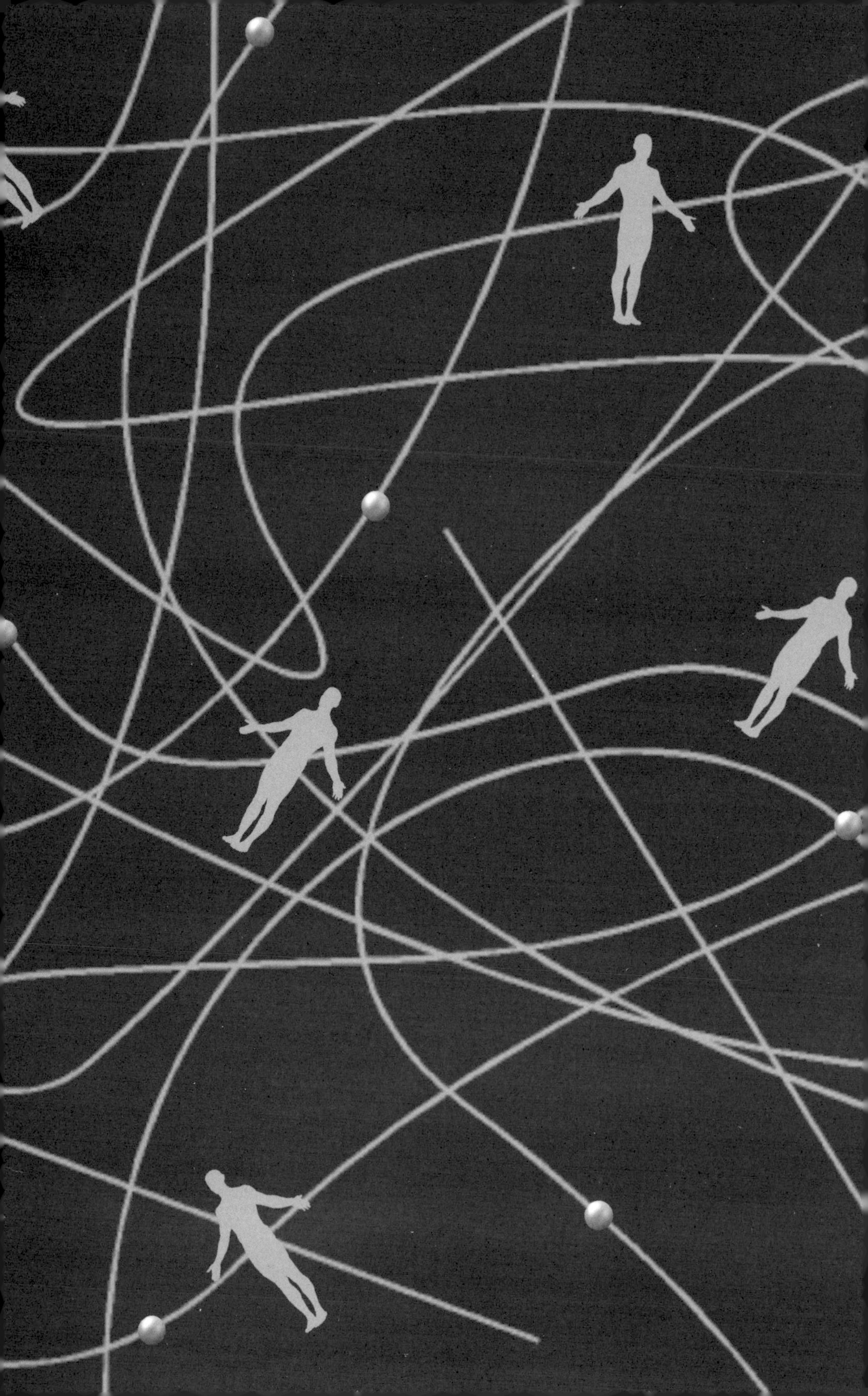

Ativações

Deitei tranquilo na cama, estava com o corpo cansado, mas com a mente em paz. Rezei, agradeci, harmonizei minhas energias, até que suavemente meu corpo adormeceu.

Não demorou nada para que meu espírito se projetasse para fora do corpo físico. Sentei-me ao pé da cama, ainda ajustando minha consciência, pois sentia uma leve tontura. Na leveza do momento, vi meus dois gatinhos dormindo profundamente sobre o guarda-roupas do quarto. Admirei a beleza daqueles dois bichinhos queridos e meu coração se encheu de gratidão.

Olhei para cima e vi um símbolo desenhado de forma luminosa no teto do quarto, que prendeu a minha atenção por alguns segundos. Sentia a presença do amigo Cris, mas não o via manifestado nas imediações do quarto.

Olhando ao redor, procurando pela presença de Cristopher, me alegrei ao ver a figura de um nobre senhor, todo trajado de branco, sentado ao lado da minha cama.

Eu não o tinha visto ainda, o que me causou certa surpresa, mas, por outro lado, não fiquei nem um pouco receoso, porque o amor que ele emanava para mim era tão forte e perceptível, que logo vi que estava sendo abençoado com a presença de um ser de elevado quilate espiritual. O seu olhar emitia ondas de pureza e amor, a sua aura cintilava uma luz tão branca que me encantava.

Enquanto eu admirava a sua beleza, ele me cumprimentou:

"Oi, filho! Eu sou Benedito. Eu vim aqui hoje para lhe mostrar que qualquer pessoa pode ativar um Núcleo benfeitor e curar qualquer mazela da alma, filho."

Sentia meu espírito em expansão se alimentando com o amor que Benedito colocava em suas palavras e, por isso, em silêncio eu sorvia atentamente cada explicação que vinha de sua boca. E Benedito continuou:

"Hoje você não será levado a nenhum lugar no astral. Para que saiba que qualquer pessoa pode ativar um Núcleo onde quer que esteja, basta que dedique um pouquinho só de tempo e que saiba colocar a intenção que vem da fé e da verdade.

A verdade da alma alimenta a fé. A fé produz a energia necessária para o Núcleo ser acionado e mantido. Para criar seu próprio Núcleo, comece fazendo uma prece fervorosa, agradecendo para toda força da vida, para o Grande Espírito Criador e todas as manifestações Divinas.

Respire suavemente, com a consciência da vida fluindo por dentro e fora de você, assim serene a sua mente. Se sua cabeça não para, você não tem sucesso no que vem a seguir.

Coloque as mãos em prece na frente do coração. Mantenha o pensamento focado na gratidão e na Divindade Maior, com a respiração cadenciada e tranquila.

Afaste levemente as mãos que estão em prece, mantendo agora uma pequena distância entre elas de não mais do que cinco centímetros.

Põe intenção na sua mente e imagine que entre as mãos nasce um ponto de luz, bem cristalino e intenso.

Mantenha-se focado nesse ponto de luz por algum tempo, até ter certeza de que conseguiu criar essa força entre as mãos.

Agora pense nos benefícios que quer ter com a sua ativação, deixando eles bem claros para você. Por exemplo: quero tolerância, amorosidade e felicidade na minha vida e no trato com as pessoas ao meu redor.

Assim, imagine na sua tela mental a condição de tolerância, amorosidade e felicidade acontecendo na sua vida. Imagine com força e fé.

Nesse momento, traga esse ponto de energia criado nas mãos contra o seu peito, na região central do tórax.

Continue a mentalização, agora visualizando que a luz está viva no centro do seu peito. Quando conseguir manter a imagem desse ponto de luz vivo no seu peito, então faça seu pedido para as correntes superiores encarregadas na tarefa da cura das nossas emoções.

Eleve seu pedido a Deus, ao Criador, à Mãe Divina. Use sua fé, pois o nome do Santo ou do Deus não importam muito, já que, aqui em cima, estamos todos no mesmo lado, trabalhando para o mesmo Pai/Mãe.

Veja um exemplo: Eu (fale seu nome completo) peço ao plano superior, a Deus, a ativação de um Núcleo Energético de Consciência que possa trazer tolerância, amorosidade e felicidade, na minha vida e no trato com as pessoas ao meu redor.

Fique receptivo, agradeça e sinta a paz penetrar em todo o seu espírito.

Depois da ativação, todos os dias procure fazer uma prece a Deus, renovando o agradecimento e o pedido. Só cinco minutos bastam, mas deve ser feito de mente leve, com foco, intenção e fé."

Assim Benedito finalizou seu ensinamento a respeito da simples técnica de ativar um NEC para benefício meu e de todos. Fiquei impressionado com a simplicidade do processo, pois esperava algo mais mirabolante, cheio de rituais ou processos místicos. Mas não foi o que presenciei. Fui abençoado com a presença marcante daquele ser, de pele negra, aparentando 65 anos de idade, trajando vestes brancas e simples. No seu olhar ele guardava um manancial de sabedoria, simplicidade e humildade que despertou em mim uma emoção tão grande que foi capaz de liberar de mim um choro espontâneo por um tempo. Era um choro de puro amor, de plenitude e encontro com minha mais nobre face.

Benedito olhava para mim, dando apoio ao meu choro, porque, do alto de sua sapiência, ele entendia a importância daquele momento em minha vida. Nesse instante senti a presença do Cris ao meu lado, em silêncio, levemente emocionado pelo ocorrido.

A CONSTRUÇÃO DOS NÚCLEOS ENERGÉTICOS DE CONSCIÊNCIA

Então, depois de longo silêncio, Benedito me disse: "Simplicidade, meu filho, simplicidade! Essa é a chave da cura de tudo."

Naquela aura de paz celestial que o espaço do meu quarto se tornou, percebi que o teto sumiu, proporcionando a visão ampla de um lindo céu estrelado. No exato momento, Benedito se levantou, me saudou, me abraçou, saudou Cris e fez um movimento circular na direção do céu, com uma espécie de cajado pequeno que ele usava. Obedecendo ao movimento rotativo que ele efetuou apontado para o alto, uma fenda luminosa se abriu acima de nós e, de forma repentina, ele desapareceu por aquela abertura, deixando para trás um rastro intenso de amor.

Tendo sentido profunda emoção, leveza e harmonia, nada falei ao Cris, que se manteve em silêncio também, sentado ao pé da cama, ao meu lado. Percebendo a sintonia que me embebia naquele momento e a importância da experiência para mim, Cris também se despediu e foi embora.

Entrei num sono profundo, reparador, que produziu em mim uma sensação indescritível de paz e de bem-estar. Ao amanhecer, quando acordei meu corpo para a vida física, fui tomado por um sentimento tão profundo de amorosidade que fiquei tocado por vários dias.

Continuei (e continuo) aplicando as preces diárias com o objetivo de manter a ativação criada naquele dia. Dessa forma, já estou me beneficiando com as vibrações elevadas que tenho recebido e que têm provocado efeitos verdadeiramente transformadores em mim.

Nesse tempo, também percebi que a intenção e a concentração são as chaves desse processo, por isso, quando faço a minha prece diária de agradecimento e de renovação do pedido, preciso ficar focado nos objetivos que desejo. Algumas vezes, na correria das rotinas diárias, acabei fazendo algumas preces de renovação sem muita profundidade ou concentração e o que percebi foi que, nesses casos, a vibração dos NEC's diminui muito. Mesmo assim, quando retomamos a prática de renovar e agradecer o pedido com fé e devoção, o pulsar dos núcleos fica forte novamente e tudo volta a fluir em perfeito e harmônico alinhamento.

No contato que tive com os diversos seres que conheci durante a construção do livro, aprendi muitas outras coisas sobre os NEC's. Abaixo, citarei as que mais me chamaram a atenção:

1. Para ativar o Núcleo, o solicitante precisa estabelecer uma condição de equilíbrio mental associada ao desejo focado no objetivo que se tem.

2. Todos os dias, por pelo menos cinco minutos, o solicitante deve agradecer a sintonia e renovar seu pedido. Ao fazer a prece, deve-se imaginar a condição do desejo já realizado e os efeitos dele na sua vida.

3. Ao cessar as orações diárias a pessoa estará desativando a força do núcleo. O NEC se desintegrará naturalmente após quatro dias sem a devida oração.

4. Quando a pessoa portadora de um NEC frequenta lugares de natureza moral baixa, dificilmente irá

manter seu funcionamento e sintonia com as Estações de Envio.

5. Crises de raiva, mágoa, estresse e outros sentimentos densos são capazes de desintegrar os NEC's.

6. Sempre que um NEC é desativado, poderá ser reativado novamente.

7. O tempo que o solicitante precisa para obter uma resposta depende exclusivamente da sua entrega e disciplina ao processo, bem como da necessidade de mudança de personalidade sem que, para isso, haja transtornos emocionais em sua vida.

8. Um NEC é um implante que atua com o propósito de estimular o crescimento dos valores mais sublimes da alma humana. Um implante extrafísico dos seres das sombras tem diversos objetivos diferentes, mas sempre nefastos e depreciativos. Por onde entra o bem, também pode entrar o mal e vice-versa, a escolha é sempre de cada um.

9. As ativações também podem ser utilizadas para objetivos de cura física. Nesse caso, o solicitante deve deixar bem claro o que especificamente precisa ser curado. Exemplo: Cura da articulação do joelho esquerdo.

10. Sempre que você estiver fazendo uma ativação ou renovando os seus pedidos nas preces diárias, fique muito receptivo(a) às intuições e percepções que virão e aproveite-as dentro do possível, pois poderão fazer a diferença em sua vida.

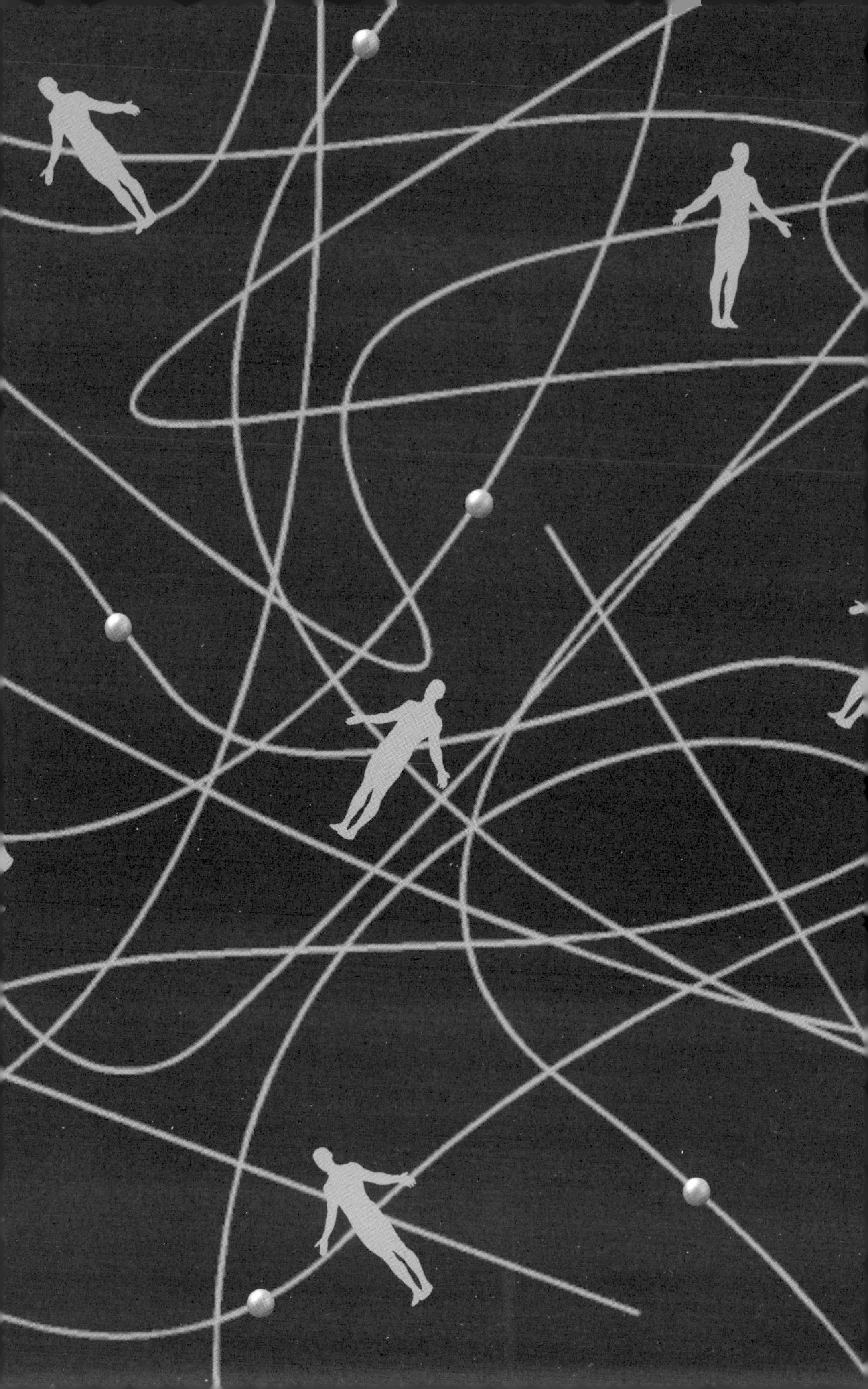

A fonte da energia do Umbral

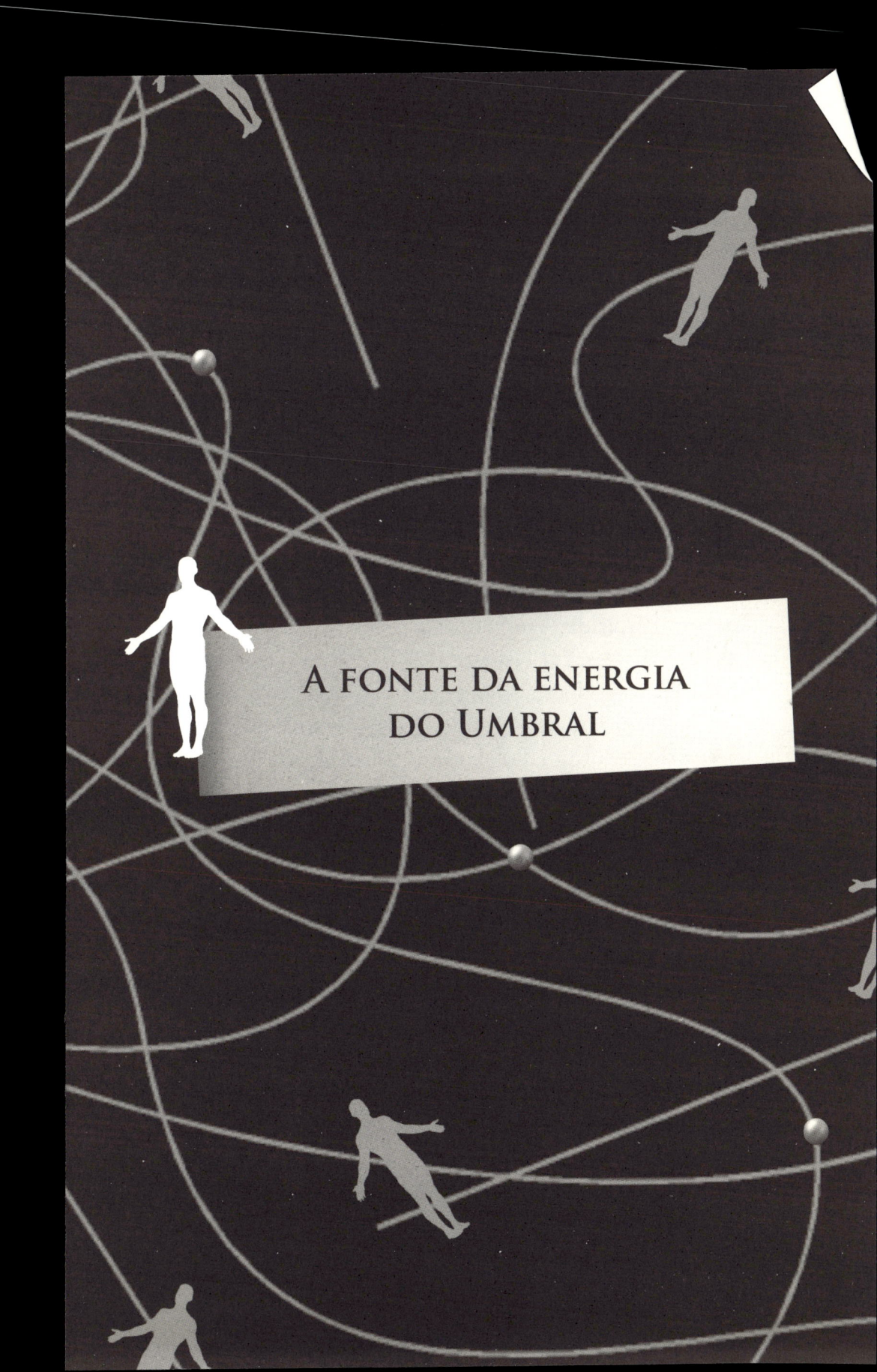

O SISTEMA QUE ABASTECE AS SOMBRAS

Eu estava em casa, meditando, me preparando para dormir, fazendo a minha prece, quando senti aquela presença espiritual familiar. Sem demora, em minha tela mental já consegui visualizar que se tratava do amigo Cris. Percebendo o aceno dele, aprofundei mais minha concentração, respirei fundo, relaxei e, com isso, meu corpo físico dormiu. Projetado espiritualmente para fora do corpo, abracei Cris como de costume. Já cheio de ânimo, perguntei qual seria a nossa atividade, sobre o que seria a nova narrativa. Ele mostrou um sorriso tímido, em face da minha demonstração de ânimo, e pediu para que eu mantivesse a frequência mental elevada. Assim, foquei minha mente no bem-estar que estava sentindo e, sem demora, fomos transportados para outro lugar.

Avaliando o bem-estar que estava em mim, tive a certeza de que se tratava de um plano elevado. Quando olhei ao redor, ainda me recompondo do torpor provocado pela nossa subida vibratória, percebi um ambiente que mais parecia um centro de comandos de uma nave mãe de um filme de ficção científica. Quando me recompus plenamente, já percebi que Cris conversava com um ser de aparência muito bonita, ar jovial, trajando um uniforme colado no corpo, como um piloto de fórmula 1. O nome dele era Tattus. Um ser (espírito) com aparência de 1,80m, corpo magro, cabelos negros, com músculos bem definidos. Como sou muito brincalhão, mesmo estando em um ambiente novo, todo especial, reservado e tecnológico, demonstrando total importância, não me contive quando fui apresentado para Tattus. Saudei-o fraternalmente, com gratidão por permitir minha presença naquele local, mas não pude conter a brincadeira, perguntando: "Como você consegue ter um corpo sarado desse jeito? Eu estou praticando yoga, fazendo dieta faz um ano e pouco consegui até agora, se eu soubesse seu segredo, talvez pudesse emagrecer mais rápido" – afirmei, com jeito risonho.

Não posso dizer que meu amigo e orientador Cris me repreendeu por meu comentário, mas a forma como tanto ele quanto Tattus ignoraram minhas falas já manifestou que meu comportamento foi inadequado. Sentindo aquele silêncio constrangedor, não consegui ficar calado. Assim eu disse:

"Perdoem-me, isso é coisa de encarnado."

Depois, soltei um risinho irônico com o canto da boca para tentar amenizar a situação.

Voltando à seriedade dos fatos, Tattus era o técnico operador daquela estação que parecia flutuar sobre algum lugar. Mais tarde, fui entender que, embora tivesse um formato de nave espacial, era um centro de controle que não se movia do lugar como um veículo aéreo qualquer.

Na parte dos controles principais existia um enorme vidro que dava vista para um vale maravilhoso. A natureza era tão viva, com cores tão cheias de energia que, mesmo de longe, já podia sentir a força do verde da mata. Abaixo daquele vidro, que conferia à sala a impressão de ser um mirante, estavam todos os controles e dispositivos formando um complexo painel de comandos e análise de dados.

Sem que desse tempo de eu perguntar, Tattus saiu logo explicando:

"A função dessa unidade de controle que você está vendo é identificar e monitorar os pontos de parasitismo de encarnados pelos seres conhecidos por nós como *Phantons*. Essa denominação surgiu há muito tempo atrás e refere-se a toda espécie de seres da escuridão, magos das trevas e seus semelhantes, que são espíritos iniciados em mistérios de outrora, em civilizações de elevado avanço espiritual, como os atlantes, egípcios, sumérios, que fazem uso de seus conhecimentos para o lado denso da força. O nome *Phanton* é utilizado, porque, mesmo nos planos mais sutis, do lado de cá do véu de Ísis[9], cuja frequência vibratória oscila em outra estrutura, mesmo aqui, eles são difíceis de ser percebidos ou vistos, tal a astúcia que desenvolvem os seus movimentos e translados entre os mais diversos reinos.

---

[9] É a linha que separa o mundo material do mundo espiritual. Faz referência à ilusão da matéria, também conhecido como Maia.

Tais seres, para conseguirem manter seus impérios na Terra do Sol Poente[10] sem terem que se submeter às rodas de reencarnação, que implicam em perdas de regalias – e nesses casos, profundos sofrimentos – administram um complexo sistema de parasitismo, com propósito de absorver fluidos essenciais vitais que, de forma geral, garantem a manutenção de seus reinos nefastos. A fonte da energia utilizada para manutenção desse poder sombrio somente vem do efeito parasitário, provocado com o único e exclusivo objetivo de absorver de outra parte os nutrientes essenciais tão valiosos nessa dimensão do mal.

Esses mestres da maldade são ardilosos em suas táticas, técnicos precisos, cirurgiões da energia, peritos na manipulação de forças cósmicas, artesões do Akasha[11], dispostos a qualquer atitude e qualquer empreitada para manter seus reinados. Desenvolvem, a cada dia, novos métodos de parasitismo, encontrando toda sorte de hospedeiros, sejam eles encarnados ou desencarnados, desde que produzam um único pulso de energia vital, são alvo desse vampirismo indecente e cruel. Roubam a energia de qualquer tipo de fonte e, como um animal farejador, identificam de longe novas oportunidades de parasitismo. Tudo gira em torno de conquistar quantidades sempre maiores de energia vital, a fonte que mantém 'seus paraísos de ilusão.'"

---

[10] A Terra do Sol Poente é, na visão dos egípcios, o próprio plano astral superior ou o Reino dos Céus na visão cristã. Nesse comentário, a expressão foi usada para designar o Plano Espiritual de forma genérica.

[11] Para simplificar o termo, podemos dizer que se trata do quinto elemento, o éter, aquilo que é volátil, sem condensação material, como, por exemplo, a alma.

Nesse momento, interrompi a explicação de Tattus para perguntar sobre essa expressão, "paraísos de ilusão".

Dessa vez, quem quis desenvolver o tema foi Cris:

"O termo 'paraísos de ilusão' refere-se aos impérios construídos por esses senhores da sombra, nas zonas mais densas. Esses locais apresentam arquitetura impecável, com recursos de decoração, urbanização e engenharia que faria qualquer especialista da Terra ficar completamente impressionado face aos inúmeros detalhes de luxo, beleza e conforto. Entretanto, são atmosferas artificiais, mórbidas, porque, embora tenham uma riqueza de detalhes de impressionar, são construídas por fontes nefastas, distanciadas do equilíbrio divino da vida, que dá amor e harmonia a tudo. Essas construções são produtos da criação de mentes profundamente treinadas na matéria astral dessas dimensões. A observação de que se trata de uma pura ilusão é simples: em primeiro lugar, porque a fonte que dá sustentação a tais criações é de teor maligno no sentido amplo da palavra, porque vem da exploração, da dependência, que não pode ser mantida eternamente. E é essa eternidade que embasa a certeza de que tudo não passa de ilusão, porque dessa eternidade flui abundantemente uma das principais leis universais, a lei da evolução constante.

Essa lei nos mostra que não importa o tempo que levar, um dia, em algum momento, aqueles que decidiram resistir aos movimentos evolutivos da Terra precisarão ceder... Não há como bloquear essa rotação, não há como fazer a energia parar de se agitar, ela pode ter sua cinética diminuída, mas cessada completamente, não.

O Princípio do Ritmo¹² é irrevogável, precisamos compreendê-lo e agir no mesmo sentido. Toda força direcionada para determinado ponto tem uma força de oposição natural. Quanto mais a ação ficar concentrada naquele ponto, maior será o acúmulo dessa força de oposição, que jamais se dissipa, se não pela ação contrária à força inicial. Por isso, o ritmo do universo dita o futuro desses seres que, em outras palavras, estão 'condenados' à evolução, levem o tempo que levarem.

A principal tarefa desses especialistas das trevas é proporcionar toda forma de desequilíbrio geral que gradue a eles, elementos favoráveis ao adiamento das ações naturais dessas leis imorredouras. Assim, eles vêm existindo, alguns há milênios lutando contra as forças naturais, desenvolvendo elevada tecnologia, sem medir custos no que tange ao carma, para poderem reinar pelo maior tempo possível. Procrastinar a evolução é a sua especialidade."

Fiquei estarrecido com a forma que o orientador discorria sobre o complexo assunto. Confesso que, desde meu primeiro contato (consciente) com Cris, na ocasião da construção do livro *Mulher: a essência que o mundo precisa*, sempre fiquei de "queixo caído" ao vê-lo falar

---

[12] O hermetismo criado por Hermes Trismegistos estabelece pontos comuns entre todas as manifestações do universo, expondo as leis que as regem. Sete leis principais formam toda a filosofia de Hermes, dentre elas, o Princípio do Ritmo que diz: "Tudo flui, para dentro ou para fora; tudo tem suas marés, tudo aparece e desaparece; o movimento pendular manifesta-se em tudo; o limite da oscilação para a direita e a medida da oscilação para a esquerda; o ritmo compensa". FONTE: CÂNDIDO, Patrícia. *Grandes Mestres da Humanidade – Lições de Amor para a Nova Era*. 2ª Ed – Luz da Serra Editora, Nova Petrópolis/RS.

sobre temas tão interessantes com lapidada capacidade. No ambiente das observações discursadas por ele, me enchi de gratidão – a Deus e ao Cris – por ter sido tão bem amparado nessa tarefa. Ele, imediatamente, captou meu sentimento, expressando seu carinho em igual teor, com um cumprimento de mãos postas em frente ao peito.

Naquele clima de gratidão pela vida, ele cessou as palavras, dando a vez para Tattus continuar a explicação:

"Nesta unidade, desenvolvemos uma tecnologia capaz de detectar pontos de parasitismos implantados pelos *Phantons* em diversos locais da área de abrangência dessa central. Assim como as delegacias de polícia na Terra atendem a determinadas regiões, aqui também funcionamos dessa forma. Essa unidade está abrangendo a região conhecida na Terra como Litoral Paulista, de norte a sul. Nessa região, estudamos, mapeamos, detectamos todos os parasitas instalados em pessoas, ambientes, situações, entre outros. Unidades como essa estão espalhadas por todo o globo, monitorando os pormenores da ação das sombras. Você veio a esse local específico porque, como já foi comentado, existe uma ligação energética entre você e essa região.

Da mesma forma que existem os NEC's – Núcleos Energéticos de Consciência – também existem os dispositivos implantados pelos especialistas a serviço dos *Phantons*, que oferecem o efeito de captura de fluidos vitais que, por elaborado sistema, é enviado à distância para laboratórios da escuridão, como o que você conheceu, para a produção em série de cápsulas de energia vital, ou seja, as baterias de energia.

Esses implantes parasitários são concentrados de energia que se assemelham a pastilhas de um tipo de gel etérico que adere ao corpo energético do hospedeiro. São introduzidos em diversos pontos da aura dos seres humanos, de acordo com o padrão do vampirismo em questão. O ponto de parasitismo mais eficiente quanto à drenagem de fluidos vitais é o do chacra cardíaco, na região do coração. O ponto mais eficiente do ponto de vista de controle, alienação e distanciamento com os valores divinos é o chacra frontal. Nesse caso, o vampirismo acontece nas regiões da base da nuca, no sistema nervoso central, desgovernando os pulsos do controle mental; nas têmporas, alterando a noção da vida, controle de si e do discernimento. Esses dispositivos têm o formato de pequenas pastilhas parecidas com moedas, que são implantadas na região do sétimo chacra, envolvendo a glândula pineal, seu principal propósito é o de estimular a perda da conexão entre o hospedeiro e o plano divino.

Como as tecnologias espirituais do lado da luz vêm avançando no combate a esses implantes, lançando toda sorte de informações e técnicas por via da intuição junto aos encarnados, os *Phantons* vêm utilizando, já há algum tempo, elevada técnica de disfarces. Muitos profissionais do quinto elemento, terapeutas energéticos, apômetras, reikianos, entre outros, desenvolveram boa habilidade no combate a esses parasitas, por isso, um simples implante das sombras, a olhos treinados, é facilmente detectado e, com alguma habilidade de perícia por parte do terapeuta (e o grupo espiritual que o ampara em seus trabalhos), pode ser removido. Por isso, os especialistas das sombras desenvolveram diversas maneiras de mascarar a real aparência do implante que, em sua forma natural, emite intermitentemente pulsos de cor vermelha elétrica, e produz uma aura sinistra, que se assemelha ao momento em que um palito de fósforo é apagado e que imediatamente libera um filete de fumaça da combustão da madeira. Portanto, o implante oferece uma aparência feia e tenebrosa, um filamento de luz vermelha carmim elétrico a emanar ligeiro filete de fumaça escura.

Assim, as tecnologias empregadas por esses seres conferem aos implantes aparência luminosa, como a de uma estrela de cinco pontas, de um símbolo místico brilhante, de um diamante a reluzir, entre outros elementos que, imediatamente após serem visualizados por meio da mediunidade dos terapeutas, os enganam, dando a impressão de que são algo bom. E não é para menos, quando um terapeuta, em sua visão espiritual, percebe artefatos luminosos cheios de detalhes ricos em brilhos e cores celestiais, inseridos na aura de uma pessoa, em vários pontos, ele se resigna a pensar que todos aquelas formações sejam obra do plano divino e se recusa a aprofundar a análise, ou ainda, a agir no intuito de retirá-los. Despistados pela via da fascinação, os implantes, protegidos por uma carcaça artificial de luz e brilho, continuam exercendo sua ação nefasta de drenar a energia do hospedeiro, encaminhada à distância para os laboratórios fabricantes de baterias."

Fiquei impressionado com as explicações, me lembrando de que, na caminhada como terapeuta holístico, me deparei em atendimentos de consultório, inúmeras vezes com esses artefatos luminosos que me faziam pensar que era obra do bem-maior. Quanta ignorância!

Não me contive naquele momento e, sem esperar a minha vez, fui logo interferindo:

"Então quer dizer que a energia que alimenta as baterias que vimos serem fabricadas naqueles odiosos laboratórios vem desses dispositivos implantados nas pessoas?"

"Sim" – respondeu Tattus, continuando a explicação – "Das pessoas e dos ambientes de grande circulação de gente. Isso porque as tecnologias de parasitismo são tão avançadas e otimizadas para ações coletivas, dessa forma, aumentando o raio de atuação da tecnologia do mal. Para isso, os ambientes precisam reunir grande quantidade de fluidos densos, oriundos de pensamentos e sentimentos de baixa vibração, ou seja, de moral baixa. Essas emoções perturbadas são facilmente obtidas em ambientes como folias de carnaval, bailes *funk*, festas *rave*, entre outras de mesma sintonia.

Nesses ambientes, em que as pessoas estão completamente desgovernadas de seus discernimentos, envolvidas em aura de promiscuidade sexual, alucinação por drogas, das mais leves às mais pesadas, acontece a formação da estrutura ideal para que o parasitismo aconteça em grandes proporções. Sempre que um grupo se encontrar e se manter em sintonia de pensamentos e emoções, acontecerá a formação de um psiquismo específico no ambiente e, como consequência das consciências individuais em ressonância, haverá a estruturação de um holopensene[13] característico, que é a própria identidade da aura local. Em outras palavras, acontece a formação de uma massa mental única, que representa toda a coletividade. Nesse ambiente perfeito, no que tange a visão dos vampiros espirituais, o parasitismo acontece de forma coletiva."

Atento, observando Tattus falar, imaginei que muitas pessoas, ao lerem essa narrativa, iriam ficar intrigadas, porque muitas frequentam esses ambientes. Sim, eu também fiquei chocado ao refletir que na minha época de "moço" fui a muitos bailes de carnaval, festas de música eletrônica, entre outras similares. Pensando um pouco mais, me lembrei que eram eventos que me deixavam completamente esgotado nos dias posteriores. Sim, não é para menos, estava sendo vampirizado e nem sabia, estavam roubando a minha energia sem que eu nem desconfiasse.

Adivinhando meus pensamentos, Tattus confirmou minha reflexão com um gesto afirmativo.

Nisso, Cris continuou:

"Nesta unidade, os técnicos como Tattus e outros de sua equipe avaliam os pontos de parasitismo, seja de pessoas ou ambientes, mapeiam, observam as investidas,

---

[13] É a identidade energética sutil proveniente do universo mental e emocional produzidos nos ambientes pelas pessoas que ali transitam. HOLO=Todo / PEN= que vem do pensamento / SEN = que vem do sentimento, da emoção / E = energia característica da emanação do PEN + SEN.

as novas tecnologias e, somente quando permitido, destacam soldados especializados para intervirem na ação dos agentes do mal."

Aquele comentário me assustou... Então eu disse:

"Como assim, somente quando permitido? Por que vocês não combatem esse vampirismo de uma vez por todas e acabam com todo esse sistema nefasto de roubo de energia?"

"Não é tão simples assim" – respondeu Tattus – "Os ambientes ou pessoas parasitados estão em ressonância com emoções perturbadoras, ou seja, eles – por eles próprios – dão toda condição para que as estratégias das sombras sejam cumpridas a cabo.

Uma vez que o ser humano despertasse para os valores essenciais, para a consciência de sua missão pessoal e para uma visão ampla de sua importância no plano maior, esses problemas seriam dizimados na causa raiz. Mas quem na Terra quer deixar de lado os vícios, os apegos da matéria? Quantos realmente conseguem ouvir a canção do despertar pelo canal do coração? Poucos, infelizmente!

É muita distração, muita contaminação, pouca oração, quase nenhuma conexão. Matam-se, teorizando Deus, mas não matam a intolerância, a vaidade e o ego. Não se conhecem, não se perdoam, não perdoam aos outros, nem sequer se amam. Nesse cenário de corrupção pelos valores da carne, os filhos do Grande Espírito Criador aceitam a outorga das fontes do lodo, porque se submetem com esses atos igualmente nefastos, a caminhar pelas vias da discórdia, da disputa e da solidão gerada pelo egoísmo.

E, nesse cenário, o plano de amor e luz, os Grandes Mestres Iluminados e os Senhores do Carma[14] entendem que as melhoras substanciais acontecerão quando aqueles espíritos encarnados, mediamente despertos, sinalizarem suas disposições para os trabalhos angélicos. Nesse momento, Eles entendem que é mais substancial, do ponto de vista de resultados, ampliar a força de amparo aos que estão minimamente conscientes, do que dispensar grandes frentes de trabalho na direção dos adormecidos da alma (a maioria das pessoas encarnadas). Nessa segunda classe de seres, a eficiência do trabalho é muito baixa, já na primeira, aumenta substancialmente."

"Que palavras duras essas!" – comentei com os dois orientadores – "Então quer dizer que as pessoas alienadas da vida espiritual (a grande massa populacional do mundo) e da consciência da vida imortal estão fadadas ao sofrimento, a mergulharem na lama da materialidade e a condição de hospedeiros oficiais dos *Phantons*?"

"Falando assim, Bruno, você dá a impressão de que essa classe é composta por seres que são vítimas indefesas e injustiçadas. Pois saiba que não são" – enfatizou Tattus – "Esses espíritos que já tiveram inúmeras situações em suas

---

[14] Os Senhores do Carma são seres de grande luz que compõem uma espécie de tribunal cósmico, conhecido como Conselho Cármico. Eles possuem a outorga de Deus para decidirem sobre as melhores maneiras de ajudar as leis do carma a funcionarem de forma mais produtiva e eficiente possível, seja no universo, humanidade ou indivíduos.

experiências de vida para que acordassem para as verdades divinas, preferiram o benefício ilusório da ignorância. Não existe um Deus injusto que castiga seus filhos, isso é criação do ego. E, mesmo assim, é bom que fique bem claro que, quando qualquer um desses filhos adormecidos sinalizar qualquer movimento, ainda que tímido, na direção do tão esperado despertar, o Grande Espírito Criador disponibilizará seus melhores recursos para o resgate daquele recém-nascido[15]. Entretanto, sabemos que muitas vezes o caminho da consciência é mais árduo que o da ilusão, pelo menos nos primeiros passos. Para um ser desperto, consciente e atuante, integrado às vontades maiores, o sentimento de gratidão é sua fonte de luz que brota com naturalidade a cada ato de amor e conexão com Deus. Mas, para o recém desperto, calibrar sua bússola interior, com norte na direção da realidade espiritual, pode ser um desafio que apresenta muitas dificuldades."

Depois daquela aula que tive sobre o contexto do parasitismo e da tecnologia das sombras com esses dispositivos de roubo de energia, minha compreensão acerca dos fatos mudou muito, para ser mais preciso, minha consciência se expandiu nesse sentido.

Senti que nosso estágio naquela unidade estava chegando ao fim. O silêncio tomou conta do momento. Cris agradeceu ao técnico Tattus por sua dedicação e gentileza em nos receber. Eu também agradeci. Nos despedimos do "novo" amigo com sentimento renovado e, por outro

---

[15] Expressão utilizada para designar aquele que acabou de despertar para valores espirituais.

lado, aguçado, pois o conteúdo que tivemos acesso ali era realmente esclarecedor.

Nessa atmosfera de reflexões profundas, abracei meu amigo Cris que, com todo afeto, retribuiu o carinho. Fizemos uma oração ao Alto, nos entregando à grandeza do momento, com os olhos voltados para a linda mata que se mostrava ao fundo. Embora soubéssemos que muitas experiências viriam, com muitas narrativas, estávamos impregnados de uma sensação de dever cumprido, pelo menos para aquele momento.

A Favorita!

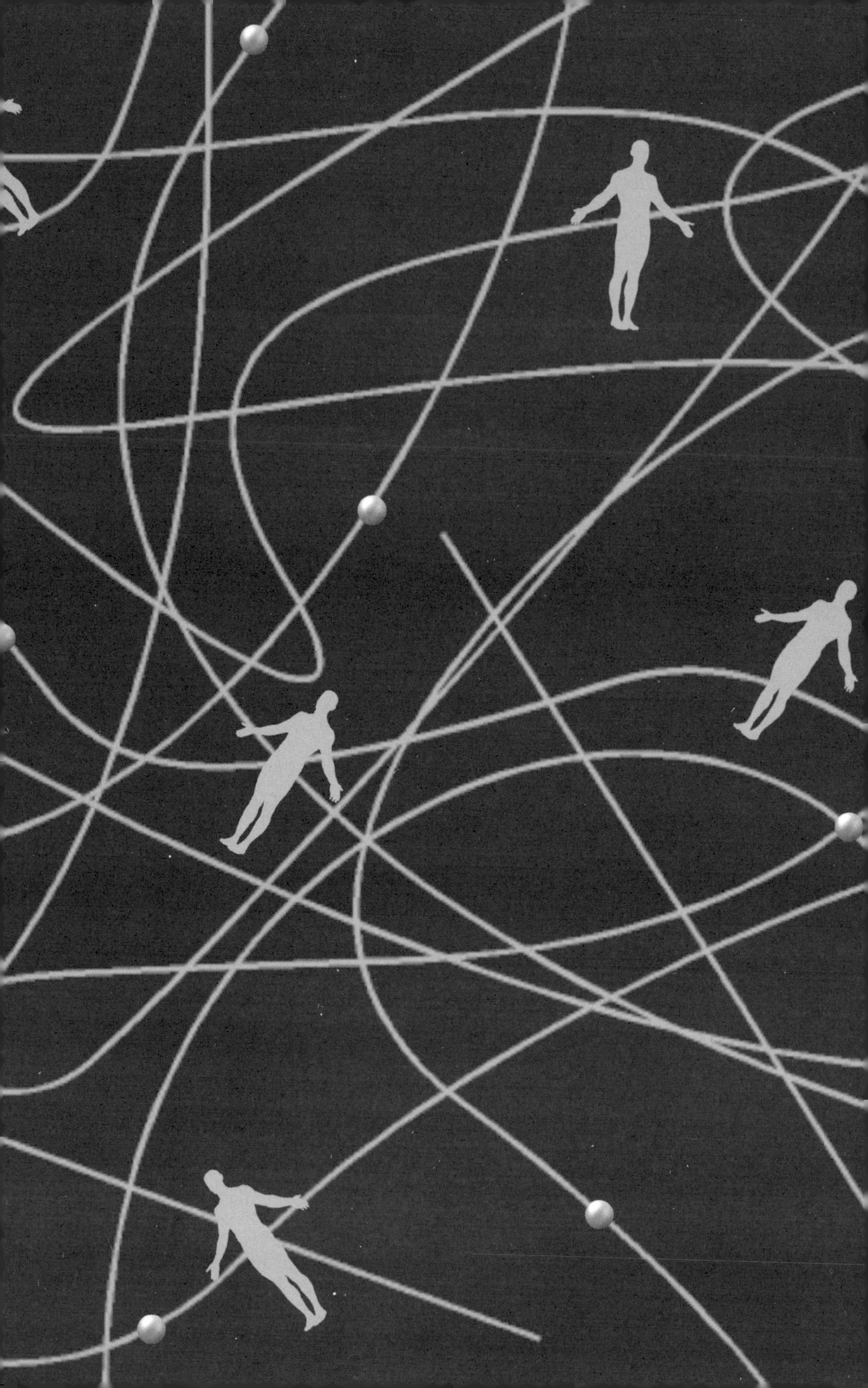

Festa de Música Eletrônica

Cris apareceu e disse:

"Hoje vamos visitar um ambiente que figura entre os favoritos dos *Phantons* para captação de energia vital que alimenta os laboratórios fabricantes de baterias."

Senti um frio na espinha, como se algum ajuste energético estivesse acontecendo na minha aura naquele exato momento. Então, me concentrei para limpar a mente, relaxei e confiei na tutela do meu amigo do Plano Espiritual.

Aos poucos, comecei a sentir um leve zumbido no ouvido que foi ficando mais forte e que depois começou a ficar mais nítido e alto. Não demorei muito para perceber o som marcante de uma festa de música eletrônica, de proporções incríveis.

De onde estávamos, víamos os acontecimentos da festa acima do nível das diversas pistas de dança que existiam no recinto. Era tudo tão grande que mais parecia um grande parque de diversões. Enxergava luzes piscando ao longe, girando em um ritmo frenético. À medida que minha visão ficou mais aguçada, pude confirmar que realmente eram brinquedos de parque de diversão, sendo não menos do que cinco, exercendo manobras "radicais" que certamente produzia muita adrenalina em todos os que desfrutavam de seus intensos movimentos de queda, rotação em vários sentidos, em velocidades tão altas que só de observar já dava tontura.

Paralelas aos brinquedos do grande parque, podia perceber a existência de diversas pistas de dança, com várias opções de decorações e tamanhos. Acredito que consegui visualizar umas sete ou oito. A altura do som era algo ensurdecedor que provocava fortes estímulos nas pessoas que ali dançavam, acompanhando o ritmo frenético da balada eletrônica.

Acima da altura das cabeças das pessoas, uma nuvem espessa de uma energia cinza aglomerava-se no ambiente, dando origem a uma formação extrafísica tão densa, que dava impressão de ser construída em matéria terrestre normal.

Cris pediu que eu focasse minha atenção com mais profundidade, com o objetivo de observar a aura das pessoas que curtiam a balada. Como o zoom de uma filmadora, com a força do pensamento, aproximei a visão, tentando observar as movimentações energéticas dos corpos espirituais daqueles baladeiros. Impressionei-me ao ver que, em quase todas as pessoas, na região das costas, mais especificamente na altura logo abaixo dos rins, concentrava-se um fluido mais grosso, quase espesso, colorido de um intenso vermelho alaranjado.

Nas cabeças, todos tinham uma formação energética muito semelhante. Eram espécies de múltiplos aros metálicos, que envolviam suas cabeças como se fossem capacetes extrafísicos, revelando com eles, intensa fumaça cinza concentrada que não se dispersava. Era uma visão sinistra, porque parecia que todos ali estavam alienados, alucinados ou hipnotizados. É até difícil tentar descrever o comportamento coletivo configurado em mais de quinhentas pessoas que dançavam, embaladas pelo frenesi da música eletrônica, somente naquela pista que estávamos observando.

Além disso, percebíamos ao redor de algumas pessoas a formação de imagens disformes e muito esquisitas, como cabeças de Saci-Pererê, mulas sem cabeça, morcegos, pequenos demônios, anjos deformados e outras figuras que nem sei descrever. Eram imagens fixas que não tinham vida ou movimento, mas envolviam algumas pessoas como se estivessem fortemente magnetizadas a elas.

Notamos que, de tempos em tempos, alguns integrantes daquele grupo saíam em direção ao parque montado ao lado, que fazia parte da festa, e entravam em um daqueles brinquedos radicais. Algum tempo depois voltavam, muito mais agitados e alucinados.

Eu estava impressionado com o que via. Aquela nuvem cinza espessa sobre todo o local, as pessoas envolvidas por auras esquisitas, cheias de formações bizarras, num comportamento ritmado que exercia naquelas mentes um tipo de hipnose profunda.

À medida que eu ia me acostumando com a estrutura do local, minha visão espiritual ficava mais nítida. Foi quando observei pontos luminosos em praticamente todas as pessoas. Esses pontos emitiam brilhos intermitentes, que se assemelhavam a pequenos *leds* de equipamentos eletrônicos convencionais. Eram pontos que pulsavam como uma pequena luz, como torres de transmissão de celulares que brilham no céu. Esses pontos pulsavam em diversas áreas no corpo energético de cada baladeiro. Algumas pessoas tinham poucos, outras, dezenas, por todas as partes da aura, da cabeça aos pés.

Nesse momento em que minha visão espiritual experimentava seu auge, procurei fazer uma observação panorâmica de todo o recinto e fiquei impressionado. Parecia como um show de música, naquele momento em que o artista em apresentação pede para que as luzes sejam apagadas e que os isqueiros sejam acionados. Uma multidão de gente pulsando fagulhas luminosas em meio à escuridão.

Seria uma visão bonita se não fosse a impressão perturbada e densa apresentada na cena. Mesmo porque a cor das fagulhas luminosas emitidas nos corpos espirituais daquelas pessoas não eram bonitas. Algumas eram mais vermelhas, outras mais cor de laranja, outras de um marrom feio.

Mantendo a minha observação panorâmica do ambiente, comecei a perceber algo de que ainda não tinha me dado conta. Acima da camada espessa de energia cinza, havia várias entidades estranhas. Elas trajavam vestes parecendo metálicas, de cor chumbo, levemente brilhante, com corpos esguios, que mais pareciam répteis do que seres humanos. Nesse momento, percebi, também, que uma entidade estranha se diferenciava das outras porque portava um equipamento que parecia uma enceradeira industrial. Esse equipamento era manipulado por essa estranha entidade, que o fazia deslizar vagarosamente sobre a camada espessa de energia cinza. Essa máquina das sombras pulsava uma espécie de luz que oscilava em um ritmo cadenciado. Os outros seres sombrios observavam o processo apenas dando apoio para aquele que manipulava a estranha enceradeira que deslizava vagarosamente acima do véu de fluidos cinzas.

Uma coisa que notei com certo espanto é que existiam vários espíritos perdidos na festa, obsediando os encarnados, pegando carona no frenesi das emoções vividas por aquelas pessoas. O curioso é que esses espíritos que procuravam as emoções fortes tal qual os encarnados também tinham em suas auras as mesmas manifestações de fluidos vermelhos alaranjados, além dos diversos pontos luminosos pulsantes.

Depois de todo esse tempo em silêncio, deixando que eu tomasse minhas próprias conclusões, o nobre amigo espiritual começou a me explicar:

"Os pontos luminosos que você vê na aura, tanto dos encarnados quanto dos desencarnados, são as pastilhas transmissoras – implantes obsessivos de tecnologia relativamente simples acoplados às auras de todos os seres, pelos mensageiros da escuridão. Essas pastilhas são como pequenas estações transmissoras que, assim como a tecnologia terrestre do *wireless* (internet sem fio), emitem informações à distância, sem a necessidade de cabos ou tubulações. Dessa forma, o equipamento esquisito que você vê na mão dos *Dinits*, que mais parece uma enceradeira industrial, absorve os impulsos propagados pelas pastilhas implantadas, absorvendo à distância, sem a necessidade do contato direto, os fluidos densos abundantes nos integrantes da festa. E, como esses engenheiros do mal não desperdiçam qualquer fonte ou resquício de energia, mesmo os espíritos já desencarnados são igualmente parasitados.

Uma festa dessas, de música eletrônica, é o ambiente favorito dos vampiros da escuridão, porque em um único local estão reunidos inúmeros fatores que facilitam e potencializam a arte nefasta do vampirismo de forças vitais. Veja os principais motivos que tornam essas festas as preferidas dos especialistas da escuridão:

1. O consumo descontrolado de drogas sintéticas que produzem muita adrenalina, alucinação e descontrole mental. A falta de controle mental facilita o parasitismo e a formação de adrenalina aumenta a densidade e a qualidade da energia sugada que pode produzir baterias malignas da melhor qualidade.

2. A música hipnótica somada à alienação espiritual. Nesse caso, mesmo que o baladeiro não esteja sob o efeito das drogas sintéticas, quando ele entra em contato com o psiquismo geral do ambiente, fatalmente será conduzido a um cadenciamento vibracional que gera as condições perfeitas para a obsessão e a implantação dos dispositivos maléficos.

3. A ação dos brinquedos radicais gera ativações anormais na produção de adrenalina. Mais uma vez dizendo, esse hormônio é o grande responsável pela produção de fluidos que são muito interessantes para os *Phantons*.

4. Excesso de estímulos. Toda forma de estímulo já citada aflora ainda mais os instintos animalizados, como violência e sexo, com intenções desmedidas. Todos esses são potencializadores da energia que é roubada.

5. A soma de todos esses fatores produz fluidos corpóreos "perfeitos" para as obsessões. Do ponto de vista dos *Phantons*, uma festa que envolva esses elementos é o manancial mais rico e abundante que eles podem querer.

Assim, com tantas vantagens oferecidas, cada vez mais os seres das trevas vêm assediando os encarnados, incentivando-os e estimulando-os, para que essas festas tornem-se cada vez mais frequentes, pois, dessa forma, a fonte favorita da qual eles se alimentam estará sempre ativa. Todos os participantes desses eventos tornam-se verdadeiros transmissores constantes de fluidos vitais. Não só na ocasião das festas, mas também em suas rotinas diárias, padecendo de agudas perdas de energia que podem levar ao aparecimento de diversas doenças e com grande frequência levar à perda da consciência, à demência e a até mesmo à morte.

Portanto, é necessário que as pessoas na Terra tenham consciência de que esses eventos de grande porte, em que os valores mais elevados não são lembrados, são portas de acesso para processos obsessivos coletivos, que acontecem com facilidade incrível pelos senhores da escuridão.

A única e mais eficiente defesa que as pessoas podem ter é a consciência! Sim, o conhecimento das consequências é necessário, pois o plano denso não brinca em serviço quando o assunto é a energia que alimenta o umbral, e a humanidade precisa ficar alerta, compreendendo definitivamente que cada atitude mal pensada pode prolongar ou potencializar a vida nos submundos, responsáveis pela realimentação da alienação, ignorância e queda moral da raça humana. A realidade é que a ignorância e os vícios são as causas raízes de todo o problema. Além disso, é importante dizer que muitas festas podem existir, sem que a invasão obsessiva ocorra. Mas, para isso, os valores morais, o controle mental e a qualidade das emoções dos participantes devem ser elevadas. Caso contrário, será um grande 'candidato' aos ataques obsessivos.

É bom lembrar também que o alerta não serve apenas para as festas eletrônicas, consideradas as favoritas do ponto de vista de roubos de energia pelos seres infernais. Nessa lista estão os bailões de rodeio, bailes *funk*, bailes de carnaval, micaretas e tantas outras que reúnem grande quantidade de pessoas, emoções e pensamentos densos. O evento de carnaval, no Brasil, por exemplo, tem a capacidade de afetar o psiquismo global por um período próximo a seis meses. Isso quer dizer que, depois da maior festa popular do povo brasileiro, os centros de controle de psiquismo do astral superior, citados anteriormente, padecem de uma grande demanda de trabalho e, quando conseguem minimizar o problema, já é quase época de nova temporada.

Todas as pessoas envolvidas nesses eventos podem não ser cem por cento parasitadas pelos diversos mecanismos das sombras, entretanto, estarão ampliando muito suas chances. Sabemos que muitos frequentadores desses eventos não se envolvem com o uso de drogas, álcool ou atitudes sexuais desmedidas. Muitos não perdem o controle e o discernimento e realmente aproveitam tais festas como oportunidades de diversão. Nesses casos, esses indivíduos podem ser menos assediados pelos enviados das sombras, mas em função da massa psíquica formada nesses ambientes, fatalmente serão tomados de grandes perdas involuntárias de energia que podem, sem dúvida, dar origem a diversos incômodos psíquicos, emocionais e espirituais que jamais serão conscientemente associados ao hábito de frequentar tais festas.

Cabe ao Plano Superior alimentar condições para que as consciências sejam amplamente despertadas e que, de acordo com a vontade de cada um, essa consciência seja elevada a novos níveis, os quais certamente proporcionarão inovadoras formas de encontrar diversão sem a necessidade de festas desvitalizantes. É muito comum a resistência a novos paradigmas, ainda mais quando esses vêm de fontes mediúnicas como neste livro. Por isso, não queremos impor essa narrativa como uma verdade absoluta que deve ser obedecida. Queremos, através dessa experiência, pontuar as desvantagens promovidas por acontecimentos de tal teor, estimulando uma reflexão direta no leitor para que ele mesmo possa medir o que pode ou não ser aproveitado."

Não sabia nem o que dizer diante da explanação de Cris. Ele sempre foi um sujeito calmo e pacífico, mas quando começa a falar sobre nossos erros mundanos e comentar nossos comportamentos equivocados, ele se transforma. Uma luz amarela começa a se expandir em seu contorno, sua voz fica mais firme, até parece que ele aumenta de tamanho. Quando esse fenômeno acontece, já aprendi que é a hora de me calar e aproveitar as pérolas que virão.

Confesso que nunca participei de nenhum tipo de festa das quais foram narradas nessa experiência, mas, quando mais jovem, costumava a ir com muita frequência a diversos lugares e acontecimentos com grandes proporções. É impossível não lembrar que, após as festas, eu realmente experimentava um grau tão intenso de desvitalização que muitas vezes me abalava por vários dias, isso porque eu provavelmente era envolvido em diversas mobilizações obsessivas das sombras que me roubavam a energia além do normal.

Desde o primeiro dia em que conheci Cris, sempre vi nele um lado sério e genial ao mesmo tempo, entretanto, como alguém experiente, ele sabe ponderar sobre os comportamentos humanos, entendendo que cada ser tem seu caminhar. Em outras palavras, ele não julga, não condena, nem se abala muito quando percebe as nossas decisões incorretas porque sabe que só existe um caminho para todos nós, que é a evolução do amor, e que essa evolução acontecerá por nossa emancipação emocional.

Assim, com seu olhar, Cris atesta o conteúdo desse relato que faço agora manifestando mais uma vez que a escolha é individual e que, no mínimo, cabe a cada um refletir sobre todos esses mistérios revelados ou ignorar tudo temporariamente, deixando que a ação do tempo valide ou não os fatos narrados. A escolha é e sempre será nossa!

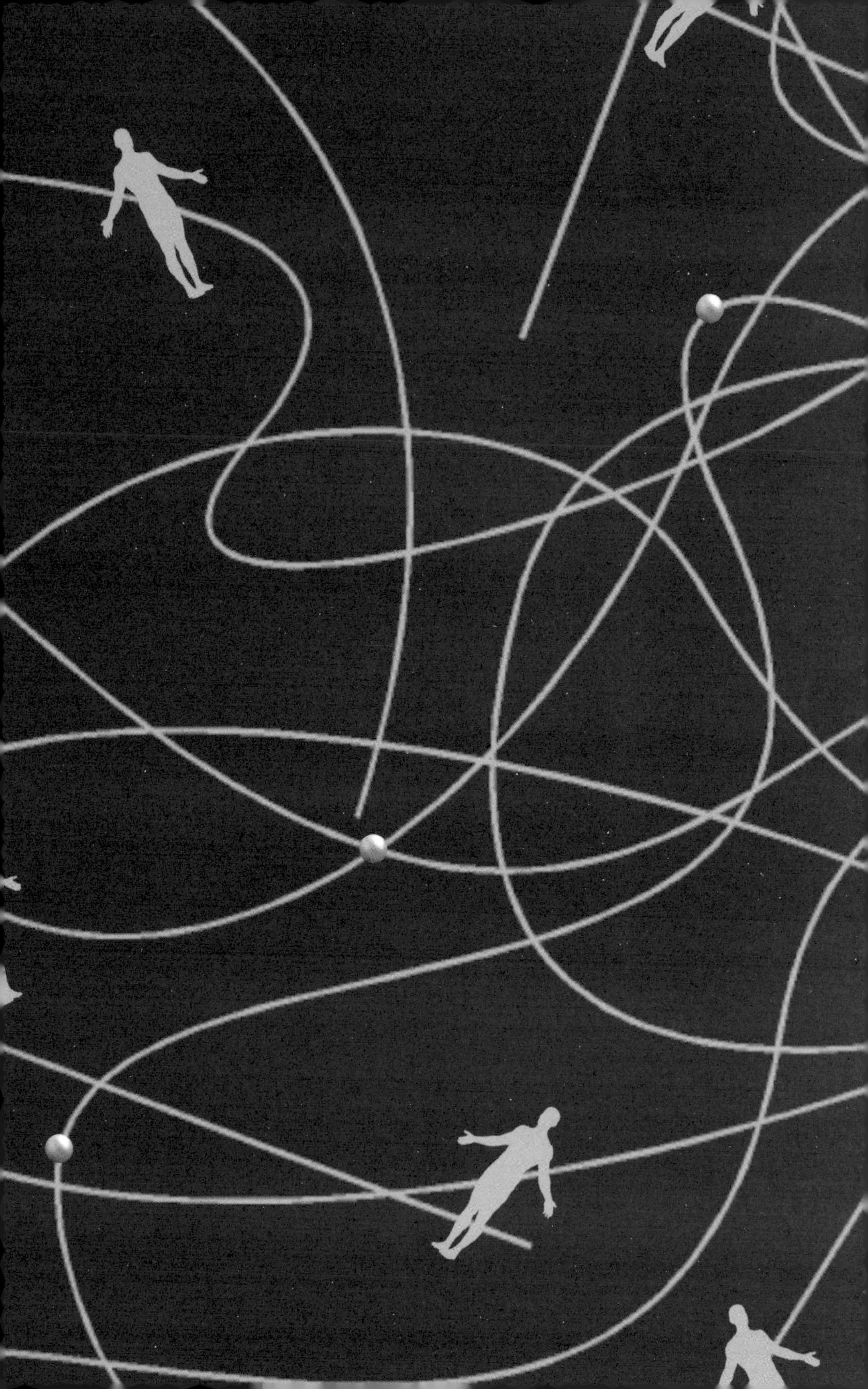

O resgate de Carlos

Libertação Espiritual

Logo depois que me deitei na cama, comecei a rezar e, assim, não demorou muito para que eu sentisse aquela presença espiritual familiar no meu quarto. Sem demora, em minha tela mental já conseguia visualizar que se tratava do amigo Cris. Percebendo o aceno dele, aprofundei mais minha concentração, respirei fundo, relaxei e, com isso, meu corpo físico dormiu. Projetado espiritualmente para fora do corpo, sorri para o Cris e perguntei qual seria a nossa tarefa.

Ele sorriu e recomendou que eu mantivesse a sintonia elevada. Atendi ao seu pedido e sem demora fomos transportados para um outro lugar para poder narrar a história de Carlos.

Carlos era um comerciante de classe média que vivia sua vida normal em um bairro na cidade do Rio de Janeiro. Era um sujeito dedicado à profissão, que nunca rejeitou trabalho e esforço para manter o seu "ganha pão". Ele tinha um pequeno mercado que lhe cobrava tempo na realização de tarefas intensas no trato com fornecedores, clientes, no controle de estoque, financeiro e tantos outros detalhes que ele mesmo fazia questão de cuidar bem de perto.

Suas filhas, Júlia e Liliana, sempre o ajudavam no trabalho, principalmente nos finais de semana, quando o movimento de clientes era maior. Sua esposa, Matilde, era quem cuidava do caixa, juntamente com outras duas funcionárias auxiliares. Todos tinham que trabalhar duro para dar conta da demanda que era exigida pelo negócio. O Seu Carlinhos, como era conhecido na comunidade, trabalhava todos os dias. Ele descansava apenas no domingo, depois do almoço, pois era quando aproveitava a companhia dos amigos e dos familiares. Carlos era apaixonado por esses encontros que se transformavam em churrasco, regado a cerveja e música animada. Suas filhas já eram mulheres feitas, sua estrutura financeira e material era estável, afinal, há mais de dezessete anos que o mercado acumulava prestígio e bons clientes.

Seu Carlinhos, há muito tempo, já tinha sido avisado pelo médico que precisava cuidar melhor de sua saúde. Isso aconteceu, porque determinada vez ele foi acometido por um mal súbito. Foi atendido na emergência, amparado e medicado. Realizou exames que constataram problemas no índice de colesterol, além de outros fatores não menos importantes. Também encontrava-se quase vinte quilos acima do seu peso ideal.

Já tinha se passado mais de cinco anos desde sua última visita ao médico. Embora ele estivesse melhorando sua alimentação, ainda assim não tinha seguido à risca a orientação médica para fazer exercícios e praticar novos hábitos alimentares. Desde aquela ocasião, Seu Carlinhos vinha tendo sentimentos nostálgicos, melancolias periódicas e falta de ânimo. Ele realmente não era mais a mesma pessoa alegre brincalhona que cativava a todos. Vinha sentindo aquele mal-estar estranho e, para não assustar a mulher e as filhas, preferia guardar em segredo todos esses sentimentos.

Nunca foi ligado às questões espirituais. Sempre que ele falava de Deus era mais por uma questão coloquial da expressão do que pelo sentido próprio da palavra. Mesmo porque, depois que Dona Ana, a sua amada mãe, "partiu" para o Plano Espiritual, aí mesmo que ele deixou de lado o pequeno resquício de fé espiritual que ainda tinha. Sem contar que Dona Ana, muito religiosa, sempre foi a única que o incentivara na prática da conexão com uma Força Maior.

Nos últimos dias, sua agonia e seu mal-estar tinham aumentado muito. No domingo, às 12h15min, ele fechou o mercado e foi o último a sair do estabelecimento. Como morava há duas quadras do seu comércio, saiu caminhando na direção de sua casa, com duas sacolas contendo, em uma, um pacote de carnes para o churrasco e, em outra, duas garrafas de cerveja. Naquele dia, não tinha combinado nada com os amigos, já que suas duas filhas iriam à praia com os namorados. Além disso, Matilde, sua esposa, não estava muito disposta para receber visitas. Dessa forma, decidiu facilitar, fazendo um simples assado para ele e sua companheira. Quase chegando em casa, o mundo girou na sua cabeça e seu peito começou a doer, mas por muito pouco tempo, porque nem sentiu o seu corpo desmaiado caindo no chão, juntamente com o estouro das duas garrafas de cerveja que se quebraram com o impacto. O estrondo gerado pelas garrafas espatifando no chão foi suficiente para chamar a atenção dos vizinhos que, ao verem o Carlinhos atirado na calçada, logo deduziram o ocorrido.

O socorro foi acionado, mas iria demorar. Seu Nestor, o vizinho da frente, prontamente ligou seu carro e, com a ajuda dos outros da vizinhança, colocaram o desmaiado no carro e partiram rapidamente para o pronto socorro da região.

Em minutos, chegaram ao hospital. Graças à influência da filha do Sr. Nestor, que era enfermeira, ele foi prontamente atendido, mas de nada adiantou, já que o corpo de seu Carlinhos não mais respondia aos estímulos dos médicos. Foi acometido de infarto fulminante.

Minutos depois, suas duas filhas chegaram ao HPS. Em seguida, foi a vez de D. Matilde, que ajudou a instalar um clima de choradeira sem igual com a informação trágica que recebeu.

Júlia, a filha mais nova, precisou ser medicada para conter os ânimos. Liliana estava mais contida e serena, entretanto, D. Matilde, em uma atitude de desespero e histeria, não parava de culpá-lo por sua imprudência em relação aos avisos médicos de cinco anos antes.

E nesse clima de desespero e desolamento, o espírito de Seu Carlinhos pairava entre seus entes, sem entender direito o que ocorria. Ele coçava sua careca, colocava a mão no peito, sentindo dor, mas não compreendia nada, afetado por uma falta de lucidez que sedava suas reflexões.

Primeiro, ele apareceu sentado na recepção do hospital em meio aos familiares chorando. Depois, ele se viu na cerimônia de sepultamento, mas não sabia direito quem estava sendo enterrado, não compreendia nada. Ele tinha um pouco de consciência, mas sentia-se dopado, desgovernado e sem direção.

O tempo passou e a família seguia seu rumo, tentando recompor-se do trauma. Mas ele nada entendia. Estava sempre no cemitério, sentado sobre um túmulo sem saber o motivo. Como um doente mental, sob efeito de fortes sedativos, não conseguia organizar os pensamentos, não conseguia concatenar suas ideias, nem desenvolver emoções como raiva, medo, alegria ou ansiedade.

Muito tempo já havia passado – quase sete anos – e ele sempre se via passivo, com o olhar perdido no horizonte, sentado sobre o túmulo de azulejo azul claro. Perdeu a noção do tempo, da vida, até de quem ele era, mas não conseguia sair dali. Não estava em nenhuma prisão, não havia grades, mas, mesmo assim, não conseguia se desgrudar daquele local. Não tinha forças, não tinha iniciativa, nem vontade para nada.

Sua mãe, Ana, há muito tempo orava por ele, pedindo a Jesus que o ajudasse. Ela mesma, já mais esclarecida no lado espiritual, por duas vezes tentou comunicar-se com ele, mas era em vão. Sua consciência estava muito cristalizada pelo mundo materialista. Além disso, ela percebeu que ele estava completamente afetado por algum tipo de influência que ela não sabia dizer qual era. Depois da segunda tentativa de ajuda sem sucesso, Dona Ana começou a rezar fervorosamente, por tudo que fosse mais sagrado, que seu filho querido fosse amparado. Na colônia espiritual que vivia, com seu amor de Mãe, mobilizou todos por lá a rezarem por Seu Carlinhos. A insistência surtiu efeito e o Plano Maior começou a estudar as condições para ajudá-lo.

Um mensageiro do Alto foi destacado para estudar a situação: era Amílio. Podemos dizer que o papel desse mensageiro foi o de avaliar as condições do desencarnado, à distância, de forma discreta, fazendo um relatório das formas mentais que envolviam o espírito de Seu Carlinhos e as demais condições da aura dele.

Um dia, Amílio, ao chegar mais próximo do local, percebeu algo estranho. Era um grande guardião na região próxima ao túmulo de Seu Carlos. Quando Amílio chegou por ali e imediatamente foi abordado pelo sinistro capanga que demonstrava pesar uns 150kg. A aparência feia, o pescoço inchado e a cabeça semelhante a de um hipopótamo conferiam àquele ser um ar de maldade.

Amílio, perito na arte de resgate de almas presas ao corpo físico, cumprimentou o guardião, dizendo que apenas estava procurando uma amiga a qual ele costumava encontrar por aquelas paradas periodicamente. O capanga estranhou o comportamento de Amílio, mesmo assim, acabou acreditando na história improvisada dele para despistar a atenção do guardião. Com a autorização do ser esquisito, passou bem perto de Seu Carlos e pôde ver um cordão metálico, a imitar o cordão de prata[16], que ligava a região do coração dele ao seu corpo físico que, naquele momento, já era praticamente só ossos, pouco de cabelo e algum resíduo de tecidos da pele. E, nesse aglomerado físico que ainda restava, uma espécie de gel medonho absorvia fluidos e os destinava por impulsos ritmados para outro local, possivelmente um laboratório do mal, como o narrado anteriormente.

Com base em sua experiência, Amílio pôde mapear toda a situação. Para não chamar a atenção, foi embora, dizendo ao capanga que não iria mais esperar sua fictícia amiga. Dessa forma, munido de informações precisas, deixou o recinto do cemitério para reunir-se com outros de seu grupo, com o objetivo de traçar a estratégia de salvamento daquele espírito confuso. Já ao sair do recinto, Amílio telepaticamente avisou seus amigos da necessidade de um encontro imediato para resolver a questão daquele espírito aprisionado a tal torpor mental.

Pouco depois, ele já estava em uma sala, num ambiente que parecia um centro de pesquisa, reunido com outros dois técnicos especialistas no resgate de almas em estado semelhante ao de Seu Carlinhos. Eram técnicos que carregavam na bagagem espiritual uma elevada perícia na arte de desprender os fluidos densos que magnetizam o corpo espiritual ao corpo físico das pessoas, mesmo após a morte.

---

[16] É o conduto que interliga o corpo físico ao corpo espiritual, através do qual é transmitida a energia vital para o corpo físico. Quando o corpo espiritual se projeta para fora do corpo físico nos períodos de descanso físico ou sono, fica ligado ao corpo material através do cordão de prata. Já recebeu diversos nomes de acordo com as diferentes culturas que o estudaram, como por exemplo: cordão astral, cordão luminoso, cordão energético, entre outros.

Eles eram conhecidos como "Os Cintilantes", isso porque usavam vestes coladas ao corpo, como roupas especiais de astronautas e, independente da cor, sempre apresentavam um exótico e cintilante brilho. Era realmente muito bonito o brilho emitido por seus uniformes.

Uma das maiores sabedorias já desenvolvidas na arte de compreender os mecanismos que aprisionam e liberam o corpo espiritual do corpo físico foi a do povo egípcio. Espíritos que passaram pelas civilizações mais antigas desse povo trazem, em suas memórias espirituais, incríveis aprendizados das remotas escolas de mistérios. Aproveitando esse fato, nas experiências vividas às margens do rio Nilo, sob orientação de grandes Mestres do ocultismo, foram fundo no aprofundamento do conhecimento inerente ao magnetismo entre corpos energéticos e físicos.

Os Cintilantes sempre foram chamados para trabalhar em ocasiões em que espíritos desencarnados, conscientes ou não, ficavam magnetizados aos farrapos do corpo físico, muitas vezes apegados a aglomerados de matéria orgânica e total degradação natural. Esse grupo de trabalhadores da Luz acumula grandes feitos na história recente da humanidade, na atividade de prestar socorro a desencarnados em dificuldades como as de Seu Carlinhos. O agravante nesse caso é que, além dele, em vida, ter sempre recusado se espiritualizar, também tinha em sua família, mulher, filhas e genros, um grupo de espíritos completamente alienados da consciência espiritual. Dessa forma, mesmo depois da morte do corpo físico, o ex-comerciante carioca não conseguiu se desligar da realidade do seu corpo e, ainda assim, acometido de um processo de total perda da capacidade de raciocínio lógico.

Reunidos naquela sala estavam os três especialistas, Amílio, Solaris e Wall. Com a força do pensamento do mensageiro que acabava de voltar do recinto em que se encontrava Seu Carlinhos, Solaris e Wall conseguiram assistir a imagem projetada da situação do desencarnado, sentado sobre seu túmulo, envolvido por uma grave perda de consciência sobre si mesmo. Se não fosse todo o esforço de sua mãe, com suas orações, mesmo além-túmulo, ele não estaria sendo amparado por técnicos de tão elevado quilate no campo da libertação energética.

Com a imagem projetada da situação de Seu Carlinhos obtida pela visita de Amílio nas imediações daquele cemitério, os três técnicos conseguiram entender com certa agilidade as causas daquele efeito sedativo na consciência do comerciante desencarnado. Conclusão: Seu Carlinhos estava parasitado.

Quando a holografia da situação foi projetada no centro da mesa, flutuando em meio aos três especialistas, o escaneamento detalhado da situação foi realizado. Aquele homem estava sendo alvo de parasitismo direto e constante, escravizado pelos *Phantons*, colocado como fonte de fluidos utilizados nas baterias energéticas.

Naquele momento, a memória espiritual de Seu Carlinhos foi rastreada e o inevitável se mostrou aos olhos observadores dos Cintilantes. Ainda em vida, na ocasião em que Seu Carlinhos foi acometido de um mau súbito, ainda cinco anos antes de seu desencarne, ele tinha sido alvo de implante de um dispositivo de parasitismo exatamente na localidade da glândula timo, na linha do chacra cardíaco. Daquele dia em diante, o grupo de seres da escuridão já arquitetava a derradeira investida no comerciante alienado espiritualmente para estabelecer nele o parasitismo pós-morte.

Com faculdades avançadas no campo do mentalismo e das tecnologias espirituais, os *Phantons* conseguem prever, com certa acurácia, o tempo aproximado de existência que o encarnado terá com base no estilo de vida que leva. Esses seres malignos fazem suas investidas preparando o terreno para quando o além-túmulo chegar e para que essas almas iludidas na materialidade lhes sirvam de trabalhadores na geração de fluidos preciosos para a manutenção dos planos dos reinos inferiores.

A imagem projetada pelo artifício tecnológico localizou no corpo espiritual daquele pobre infeliz um tipo de medalhão afixado no seu coração espiritual e, desse artefato, fluía um cordão de metal cinza, levemente transparente e que se ligava ao corpo físico em decomposição. Abaixo da ossada, já em estado avançadíssimo de assimilação pelos elementos da terra, formava-se uma espessa camada de um gel asqueroso e viscoso, como petróleo bruto. Esse gel absorvia os fluidos vitais de seu Carlinhos, que eram transferidos do seu corpo espiritual para os restos do seu corpo físico. Desse último, eram retirados por um efeito absorvente do gel escuro toda forma de vitalidade presente na consciência atormentada do homem.

Abaixo ainda do gel, como que ziguezagueando entre a terra farta abaixo do túmulo dele, existiam várias galerias de inúmeros tubos finos, responsáveis por captar a seiva refinada do produto daquela obsessão fluídica. Naquele mesmo momento, o grupo de Cintilantes conseguiu escanear mais amplamente a região do cemitério e pôde identificar amplo aparato de drenagem fluídica ativada em toda malha terrena da metade sul do Cemitério. Tratava-se de um ambiente totalmente adaptado aos planos nefastos dos *Phantons* em suas incansáveis estratégias para capturar e escravizar seres inferiores.

O cemitério encontrava-se em uma região em que as pessoas da comunidade não tinham valores espirituais mediamente desenvolvidos, o que facilitava muito a ação dos seres da escuridão.

Em cemitérios envolvidos por comunidades mais espiritualizadas, em que os "mortos" ali enterrados gozam de consciências e familiares mais apurados no sentido maior da vida, naturalmente são ambientes protegidos por guardiões que, sob a direção dos planos do Grande Espírito, garantem a proteção do local contra o vampirismo de almas como a do Seu Carlinhos.

Após o estudo aprofundado da situação do espírito daquele homem parasitado, bem como do local, os três especialistas começaram a se organizar para a ação de libertação daquela alma perturbada. Para a tarefa, envolveram um grande número de socorristas especializados que dispensariam os recursos necessários previamente definidos pelo trio.

Algum tempo passou e tudo estava pronto para a operação de libertação de Seu Carlinhos. O grupo estava reunido – um contingente de uns vinte trabalhadores estavam empenhados naquela atividade. Do total, pelo menos doze eram guardiões destacados para protegerem a operação; três eram uma espécie de enfermeira que carregavam com elas alguns recipientes contendo um tipo de extrato verde, quase fluorescente, que exalava um peculiar e intenso aroma de mato; Dona Ana e outra senhora que tinha sido em vida sua irmã estavam juntas também, além de Amílio, Wall e Solaris.

Chegaram silenciosos e discretos ao local. A caravana avançava na direção do túmulo de Seu Carlinhos envolvida por um disfarce. Era uma tecnologia dos Cintilantes que produzia uma ilusão de ótica, que fazia demonstrar que se tratava de uma típica procissão de religiosos, todos vestindo véus pretos sobre as cabeças. À medida que avançavam na direção do bizarro guardião com cabeça de hipopótamo, esse, paralisado pela ilusão da falsa procissão, completamente vidrado, ria com a imagem patética (perante ele) de espíritos desencarnados prontos para serem escravizados. Ele ria, porque não era uma cena rara de acontecer. Em suas atividades nefastas, especializou-se, sob a orientação dos *Phantons*, em escravizar verdadeiras legiões de espíritos perdidos, desencarnados aos milhares que, ignorantes da vida espiritual, deixam-se levar, inocentemente, como escravos das sombras. Em ocasião recente, no auge de um baile *funk*, uma lage do recinto da festa desabou. Sete pessoas desencarnaram imediatamente. Em uma atmosfera impregnada de drogas e álcool, aquelas infelizes almas, como que hipnotizadas por suas próprias limitações conscienciais, foram atraídas como presas fáceis para as "garras" daquele nefasto trabalhador das trevas que, desde então, passou a vampirizá-los deliberadamente.

Iludido com a imagem projetada no comboio, o guardião abriu suas defesas sem imaginar que o inesperado surgiria. O espírito de uma beata, de véu preto no rosto, começou a se aproximar. Era Solaris que, agindo com suas artimanhas, dava início à ação. Quando chegou frente a frente ao asqueroso ser, aplicou-lhe sem que desse chance de perceber, uma potente carga elétrica, desferida por um sofisticado e discreto equipamento. Imediatamente, o guardião ficou paralisado, envolvido por uma movimentação frenética de raios elétricos que gravitavam ao redor de sua cabeça.

Com um rápido comando mental, aquele grupo de trabalhadores da Luz surgiu em sua imagem real, desfazendo o disfarce ilusionista. Os doze guardiães que acompanhavam a tarefa se posicionaram ao redor do túmulo do Seu Carlinhos, em pontos específicos do local. Em poucos segundos, construíram um cinturão dourado que formava um incrível campo de força, proporcionando a oportunidade para que a segunda parte da operação se processasse com segurança.

Chegando mais próximo da lápide do confuso homem, uma das enfermeiras rapidamente estabeleceu uma comunicação entre o conteúdo que parecia um extrato verde e o cordão energético que ligava o corpo espiritual ao físico do homem parasitado. Ela colocou uma espécie de sonda no cordão metálico, que imediatamente começou a absorver o extrato verde para todo o corpo espiritual do homem, que se iluminou por um instante e reagiu como se tivesse tido um tranco.

Naquele instante, o cordão metálico que ligava o medalhão implantado ao corpo espiritual se desintegrou. A ação foi imediata, o espírito do homem começava a se energizar, canalizando forças vitais para a base de seu cérebro espiritual, mais especificamente na região do córtex.

Ele estava sob efeito de parasitismo agudo por considerável tempo, por isso não era de se esperar que tivesse alguma resposta consciente em pouco tempo. Mesmo assim, nesse momento em que sua aura se expandiu com tons luminosos, sob a orientação do especialista Wall, Dona Ana e sua irmã foram acionadas. O mais alto entre os Cintilantes começou a recitar palavras sagradas no ouvido de Seu Carlinhos, uma a uma, suavemente, como um canto sagrado que não sei definir. As palavras eram ditas de forma consistente e sutil ao mesmo tempo. Então, Wall se afastou um pouco, chamou Dona Ana e sua Irmã, Carmem, as aproximou do ente e pediu que elas o abraçassem com todo amor e carinho.

Wall manteve-se próximo, coordenando aquela efusão de energias benéficas. Um campo dinâmico de energia começou a circundar aquela situação. Percebendo a protuberância do campo de energia formado, Amílio, de posse de um equipamento especial, aproximou-se do homem, acionando o artefato e colando-o junto ao medalhão implantado na região do coração espiritual. Nesse momento, aconteceu um forte impacto, como o do disparo de um canhão, juntamente com a formação de um halo de luz na região do implante que acabava de desintegrar-se.

No exato instante, mãe e tia tiveram em seus braços o espírito inconsciente de Seu Carlinhos que, por um determinado tempo, repousaria na dormência gerada pelo impacto provocado por sua libertação espiritual.

As três enfermeiras agiram prontamente, com a ajuda da mãe e tia do socorrido, iniciando naquele mesmo momento o processo de locomoção do ex-escravo das sombras para um hospital espiritual próximo à comunidade onde vivia Dona Ana no Plano Espiritual.

A missão tinha sido bem sucedida, o homem foi liberto do vampirismo, entretanto, o aparato montado naquele cemitério não podia ser destruído, tampouco a cadeia de produção da energia que os laboratórios do mal requeriam podia ser desarticulada. Tudo isso porque os seres humanos moradores dos arredores eram alienados de suas consciências espirituais, portanto, eram os maiores alimentadores do sistema.

Seu Carlinhos foi levado ao hospital de apoio, onde permaneceu em uma espécie de estado de coma por quase um mês. Depois disso, aos poucos voltou a andar, falar e raciocinar de forma mais clara, mesmo assim, não tem recordações nítidas de todo o processo ao qual ele foi submetido. Sob o amparo do amor imortal de sua nobre mãe, foi protegido e acolhido nas paragens de sua nova morada no Plano Espiritual.

As instalações lodosas em meio àquele cemitério continuam a escravizar novas almas que, sem o recurso do amor balsâmico demonstrado no resgate de Seu Carlinhos, tornam-se presas fáceis.

Da mesma forma, os Cintilantes continuam atendendo aos pedidos de ajuda, aplicando, para isso, as mais hábeis estratégias com toda a sorte de recursos necessários para proporcionar a libertação que toda alma merece no sentido de desfrutar de liberdade quando seus lemes interiores estiverem voltados para o bem-maior e para a quebra das correntes do egoísmo. Necessidades muitas vezes detectadas mediante aos intensos períodos de sofrimento que amolecem o coração de qualquer filho de Deus.

A você, leitor, fica a dica, que sempre que alguma pessoa próxima a você desencarnar, não meça esforços nas orações aos Cintilantes, que possuem condições ilimitadas de prestar socorro a todos os seres que assim merecerem. Por esforços próprios ou por ação focada de parentes e amigos, devotados em sentimentos sublimes de compaixão e misericórdia. Por outro lado, quanto mais a pessoa viver uma vida buscando consciência espiritual, agindo no sentido da evolução de sua alma, menos trabalho esses especialistas terão, já que a ação parasitária pode ser barrada por consciências mais esclarecidas das verdades universais.

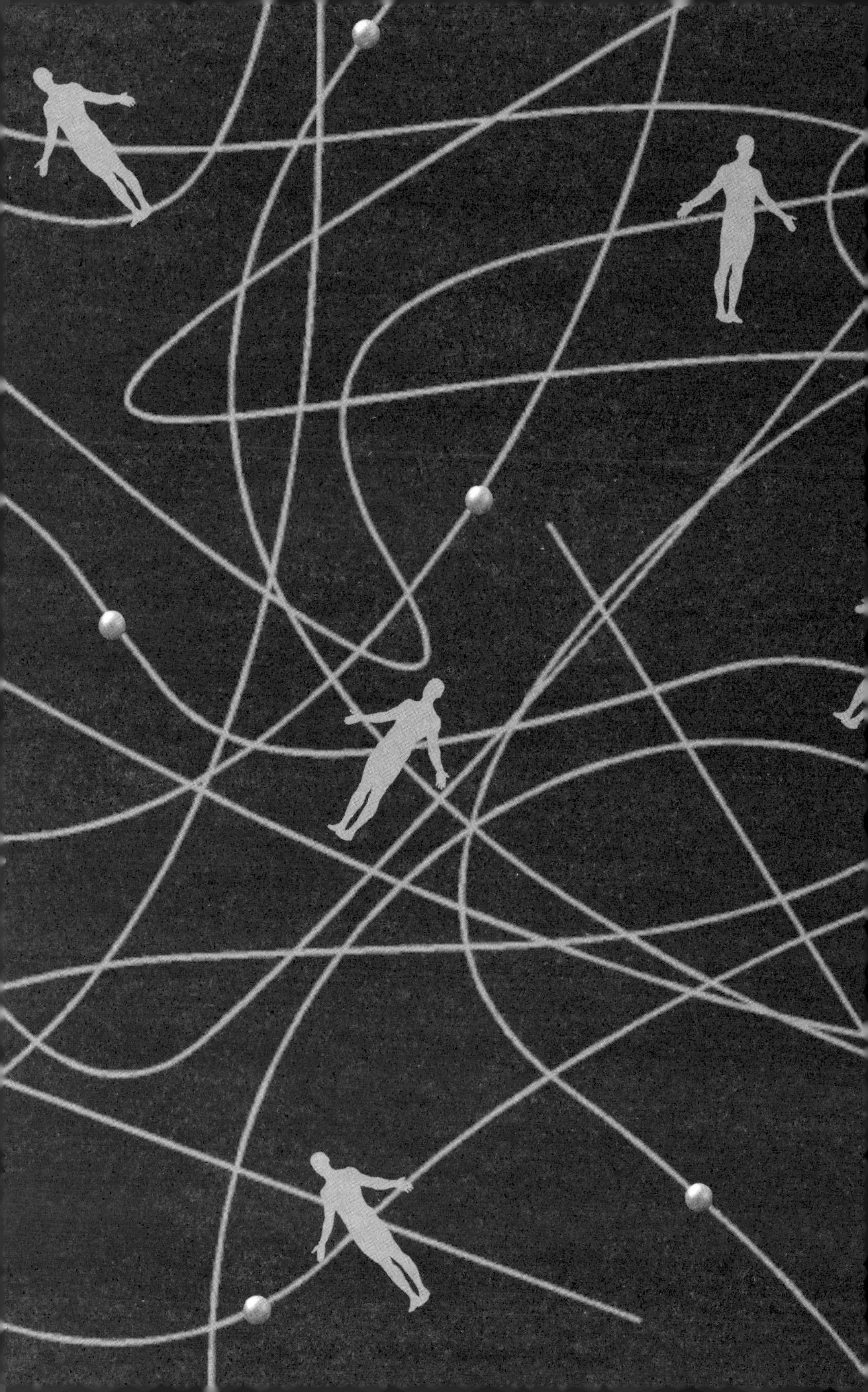

Remoção de implante

Para eliminar um implante,
elimine a ignorância!

Fui levado em projeção astral a um lugar que eu não conhecia. Era o quarto de um homem jovem, cuja aparência era de aproximadamente trinta anos de idade. Fui amparado por Cris, Tattus, Benedito e mais outro ser que não quis se mostrar direito, mas, pelo que pude ver, era uma espécie de segurança ou, como eles dizem no Plano Espiritual, um guardião.

Entramos no quarto desse homem que dormia em sua cama. Era dentro de um ambiente muito bagunçado, cheio de roupas desarrumadas por todos os lados. Além disso, tinha vários computadores naquele recinto, outras máquinas, impressoras, além de dois monitores de vídeo, todos organizados em uma mesa de canto.

Sérgio era um analista de sistemas apaixonado por tecnologia de eletroeletrônicos e toda a forma de novidades que surgiam pela internet. Seu lazer maior era passar horas e horas em frente ao computador, saturando sua mente de tantos dados, parâmetros, variáveis e programações. Embora fosse um sujeito muito dedicado ao trabalho, sempre achava um tempo na sua agenda quando o assunto era caridade, amizade e ajuda ao próximo. Ele tinha realmente um bom coração e um espírito livre. Não tinha uma religião ou crença específica, mas era atraído por um estilo de vida espiritual sem paradigmas, o que facilitava o seu ingresso junto a diversas comunidades, das mais diferentes crenças.

Como dominava grande conhecimento na área da informática, seus dons diversas vezes foram utilizados para ajudar outras pessoas e principalmente entidades filantrópicas que sempre o procuravam quando o assunto era doação de serviços, o que ele fazia com grande afinco.

Sérgio era uma pessoa envolvida por muitos amigos, mas seu estilo de vida o deixava cada vez mais distante do contato físico com eles. Sendo assim, acabou se isolando. Não estava casado, não namorava, quase nunca saía para se divertir na companhia de outras pessoas.

Esse isolamento, juntamente com o vício desenvolvido pelo uso constante do computador, fez com que ele se sentisse sozinho e carente. Quando sentia esse vazio, acessava a internet e navegava horas e horas em sites de relacionamento e de conteúdo adulto. A internet é uma ferramenta maravilhosa para todos os usuários, mas o limite do que deve ou não deve ser acessado está na consciência de cada um. E Sérgio não se importava muito com isso, afinal, ele era solteiro e não via problema em frequentar constantemente sites de conteúdos eróticos ou pornográficos.

Era muito comum Sérgio trabalhar horas e horas em seus sistemas e suas tarefas profissionais, além de ficar nos sites de relacionamento e nos de conteúdo adulto. Quando estava quase esgotado de sono, desligava o computador e se atirava na cama logo ao lado de sua mesa.

Quando adormecia, tinha retido em seu corpo espiritual, mais especificamente na região da cabeça, grande acúmulo de fluidos densos, provenientes de seu estilo de vida. Ao adormecer, seu corpo espiritual ficava vagando ao redor da cama, hipnotizado pelas ondas mentais que fluíam, reproduzindo em um *looping* intermitente, todas as experiências daquele dia. Por isso seu corpo não descansava e sua alma não se expandia, dada a sua contaminação mental.

Essa prática foi mais do que suficiente para atrair a atenção dos *Phantons*, seres da escuridão narrados anteriormente. Nesses momentos de auto-hipnose, em que sua alma se encontrava durante o sono, introduziram em sua mente um implante extrafísico, com fins obsessivos.

Mas não era o que eu via ao chegar no quarto dele junto com os amparadores espirituais. Quando me aproximei do seu espírito projetado para fora do corpo, reproduzindo a idêntica imagem que o seu corpo físico tinha, incluindo as vestes, pude perceber que na região de sua cabeça havia um tipo de aro metálico que a envolvia. O curioso é que era um aparato de beleza rara, que produzia um efeito visual que dava a impressão de que dentro do cérebro daquele rapaz havia um lindo jardim florido, com uma bela borboleta voando tranquilamente.

Naquele momento, olhei ao redor e vi o guardião-chefe dando um sinal discreto para que alguns outros homens comandados por ele fizessem um círculo de proteção ao redor do apartamento em que estávamos.

Tattus estudava atentamente o aparato na cabeça de Sérgio, observando-o com uma atenção tão intensa que me impressionou, tal a sua concentração. Cris só observava, mostrando que estava ali apenas para me acompanhar. Benedito rezava em um tom baixinho, quase murmurando, movendo as duas mãos, uma contra a outra, esfregando-as num movimento contínuo.

O guardião-chefe acenou levemente com a cabeça para Tattus, em sinal afirmativo. Percebi que ele queria dizer que tudo estava seguro e protegido. Nesse instante, Tattus aproximou da cabeça daquele rapaz um equipamento semelhante a um *palm top*, que disparou uma descarga elétrica na direção do aparato. Imediatamente após essa ação, Benedito produziu em sua mão uma pequena e intensa bola de luz verde, que foi introduzida no mesmo momento no interior da cabeça do homem. Com calma, Tattus prendeu o aro com duas pequenas presilhas, conectadas em pontos diferentes da armação metálica que o dispositivo tinha. Nesse instante, calma e delicadamente, ele retirou o aparato da cabeça de Sérgio e o armazenou em uma pequena caixa, a qual foi imediatamente retirada dali por outro guardião que estava a postos no local.

Naquele instante, a aura de Sérgio clareou. Sua cabeça mudou de cor. Seu semblante ficou mais leve e seu corpo físico deu um suspiro de alívio, porque aquele dispositivo foi retirado. Tratava-se de um implante colocado em sua aura para fins de vampirismo energético direto. Desde muito tempo, Sérgio vinha sentindo fortes dores de cabeça, tontura, cansaço físico e muita insônia.

Como era uma pessoa de mentalidade livre, espiritualmente falando, experimentou pedir ajuda em vários lugares. Foi muito bem recebido por todos. Mas foi uma mulher de vidência espiritual desenvolvida a maior responsável pelo seu socorro. Ela era uma terapeuta a qual trabalhava com curas naturais e aplicação de terapias energéticas. Após o término de uma primeira sessão, a terapeuta concluiu que Sérgio era bastante evoluído – energeticamente falando.

"Parabéns!" – disse ela a Sérgio.

"Como assim?" – ele retrucou.

"É que você tem um canal de energia muito bonito, muito aberto." – e assim ela continuou, cheia de boas intenções – "Você tem na sua cabeça uma luz muito bonita, é como um jardim ensolarado e florido, isso só pode ser coisa de gente evoluída."

Mas o que a gentil mulher via não era algo positivo, e sim um implante denso disfarçado. Como citado anteriormente, esse é um artifício utilizado pelos engenheiros das trevas para produzir a ilusão de que o artefato parasita é algo positivo.

Sérgio continuou participando das sessões por diversas vezes, diminuiu a frequência, mas, como vinha sentindo melhoras, permaneceu frequentando o local. As energias manipuladas pela terapeuta vinham produzindo bons resultados em seu estado geral, mas a dor de cabeça ainda não cessava, certamente pela ação do implante extrafísico sugador de energia vital.

Foi quando em uma sessão de terapia energética, enquanto ele relaxava na maca, já quase adormecido, ela fez mentalmente uma oração:

"Eu peço às correntes dos Seres de Luz que se algum mal ou alguma influência esteja afetando esse nobre rapaz que por caridade divina seja eliminada e transmutada. Que vocês possam ouvir meu pedido que é feito de todo meu coração."

Veja que, mesmo a terapeuta tendo sido iludida pelo efeito do artefato, enganada sobre o real significado de sua visão, ela fez algo muito certo: uma prece devotada, amorosa e altruísta em benefício de seu consultante, o que foi uma grande contribuição.

E é por isso que esse grupo de seres estava amparando o rapaz naquela noite com o propósito de retirar dele o artefato maligno que estava produzindo influência obsessiva, gerando dor e cansaço muito intenso.

Mas os amparadores sabiam de algo que deve ser exaltado nessa narrativa. É que, além da remoção do artefato, aquele rapaz precisaria remover também de sua rotina a prática da saturação mental antes do sono. Precisaria eliminar os contatos com os sites de conteúdo adulto que produziam em sua aura tormentos que não se desfaziam com o sono, ao contrário, se intensificavam, configurando uma sintonia energética muito favorável à instalação de novos implantes por parte dos seres das sombras.

Assim, a tarefa estava concluída. Uma bola pequena de energia verde mantinha-se em movimento no interior da cabeça de Sérgio, devolvendo-o vitalidade gradativamente.

Dois dos guardiães foram escalados por seu superior para que cuidassem do sono daquele rapaz por três dias, mas, após esse período, sairiam do recinto deixando a proteção espiritual dele por conta de sua própria sintonia e intenção.

Quando estávamos saindo do local, fiz várias perguntas a Cris, na tentativa de entender melhor o processo que eu tinha presenciado. Assim comecei a usual sabatina:

"Como faço para saber se eu também tenho um implante desses? Existem sintomas específicos? Quais os principais objetivos desses implantes? Existem diferentes tipos com objetivos variados? Como faço para removê-lo por conta própria? É possível?"

Assim, depois de tantas perguntas disparadas, Cris sorriu de canto de rosto e começou a explicar:

"Não é tão simples assim responder a essas perguntas, pelo simples fato de que todas essas ações maléficas oferecidas pelos especialistas das sombras só são eficientes porque encontram ressonância com as falhas de caráter naturais da humanidade em seu estágio evolutivo. Portanto, temos várias observações a fazer a respeito dos sintomas causados pelos implantes, sobre quais são os principais tipos de artefatos existentes, seus objetivos, bem como as melhores técnicas para remoção dos mesmos.

Entretanto, como já falamos, a causa maior, o motivo real que possibilita que essa tecnologia dos planos densos seja eficiente é o padrão moral da humanidade. Sendo assim, o melhor remédio, em todos os casos, é a consciência que vem da busca contínua por um aperfeiçoamento moral, espiritual, emocional e que tem por consequência a capacidade de instalar mais amor na alma de qualquer pessoa.

As portas de entrada desses dispositivos são as fendas encontradas na aura de qualquer pessoa que vive a rotina estressante do dia a dia em todas as cidades do mundo, ou seja, mais de 98% das pessoas. Essas fendas têm suas raízes no medo, na vaidade, na futilidade, na ganância, na raiva e em toda a forma de desequilíbrio emocional.

Por isso, a melhor opção para a humanidade é a busca contínua por um estilo de vida conectado com valores espirituais, voltado para consciência da alma imortal, com atitudes disciplinadas de conexão diária com a força do Grande Espírito Criador, através da prece sincera constante, da meditação, do contato harmônico com os elementos da natureza, das práticas altruístas, da harmonização com os nossos desafetos e, principalmente, pela dedicação ininterrupta por purificação das tendências negativas da personalidade.

Pensando em relação à mente da maioria das pessoas, podemos dizer que, ilusoriamente, aparentemente, dá muito trabalho. É mais fácil deixar a vida ir levando a pessoa, que navega conforme a maré, do que ter que pensar, tomar atitudes, criar caminhos novos, assumir compromissos com a essência espiritual que cada ser tem.

É nesse cenário de descaso consciencial, de pura futilização dos valores espirituais por parte da humanidade que os engenheiros do astral inferior navegam calmamente.

No caso de Sérgio mesmo, o trabalho desses nobres especialistas foi minucioso, ordenado e articulado com várias forças sublimes simultâneas para que o implante que estava em sua aura fosse removido. O processo foi bem sucedido, mas o que impressiona é que, com um pequeno descuido por parte do desavisado rapaz, o implante poderá voltar e desenvolver seu papel de drenar fluidos vitais e remetê-los aos laboratórios na subcrosta do plano astral, que são os fabricantes das intrigantes baterias.

Normalmente, quando um implante extrafísico de obsessão é instalado em uma pessoa, esse gera diversos sintomas, como tonturas, angústias, pensamentos autodestrutivos, dores agudas na região implantada, qualidade de sono péssima, cansaço e irritação constante, emoções compulsivas, agressividade, entre tantos outros que variam muito de acordo com o tipo de implante e a personalidade do implantado.

É sempre prudente que a pessoa faça uma sincera e amorosa oração às correntes dos técnicos espirituais, peritos na desativação de implantes, que costumam atuar durante o descanso do corpo físico no período em que a pessoa estiver projetada espiritualmente para fora do corpo, o que é da natureza de qualquer ser humano, mesmo que não tenha consciência desse fenômeno.

Devemos deixar um alerta para que os leitores deste livro não tornem isso uma neurose, fazendo com que o mínimo sinal de uma dor de cabeça ou um desconforto no final de um dia venha a ser sempre atribuído aos implantes. A mensagem principal é que não existe resposta ou cura pronta, cada pessoa precisa construir, tijolinho por tijolinho, a sua saúde e proteção, física e energética, mesmo porque, de nada adiantará ela detectar um implante físico e, através da prece, pedir ajuda aos técnicos do Plano Espiritual, se depois da remoção do dispositivo obsessivo ela também não remover da sua alma toda mágoa, revolta, rebeldia, ingratidão, vitimismo, agitação e falta de disciplina espiritual. Como já sabemos, se a pessoa não fizer a parte dela, de nada adiantará a ação dos Técnicos, porque no prazo de poucos dias, em função da velha sintonia nos conflitos emocionais, o implante retornará a sua matriz energética e sorrateiramente continuará a absorver fluidos vitais.

Existem diversos implantes que são utilizados por encomenda de inimigos espirituais, dedicados à vingança em especial. Também existem dispositivos com o objetivo de prender uma pessoa a outra. Alguns atuam eliminando as funções sexuais de um homem ou uma mulher, outros agem gerando influências no metabolismo fisiológico para que a pessoa engorde ou emagreça. Outros atuam ligando a pessoa a vícios como jogos, sexo, álcool, fumo, drogas, lamentação – que também é um vício – além de diversos tipos que existem e que são amplamente usados.

A tecnologia do implante é uma via de acesso muito interessante ao campo dos fluidos vitais de todas as pessoas. São comuns as inúmeras encomendas de processos obsessivos por parte de outros espíritos ou seres interessados nos mais diversos fins. Nesses casos, as equipes dos laboratórios do mal aplicam a tecnologia necessária para afetar o alvo escolhido por seu mandante. Além de receberem recompensas por parte dos solicitantes, que desejam normalmente ações degenerativas para seus desafetos, também aproveitam de forma muito eficiente todos os fluidos extraídos na aplicação das práticas obsessivas. Portanto, é uma via de duas mãos muito proveitosa para os *Phantons* e seus seguidores receber na prestação do serviço e receber na obsessão, porque o solicitante pouco se importa em aproveitar os fluidos vitais extraídos de suas presas, eles só querem mesmo é que seus pedidos sejam atendidos.

É nesse campo de infinitas possibilidades onde se alimentam exatamente de nossas falhas morais que atua toda a tecnologia dos implantes obsessivos.

A resposta oferecida para a humanidade é consciência. Jamais, em toda história da humanidade, o ser humano foi banhado por tamanha onda de informações, possibilidades, transformações, descobertas e liberdade. Além disso, os tempos são outros e vários fatores convergem no âmbito da grandeza universal, estimulando essa subida na escala de consciência da humanidade.

Como exemplo, está aí, disponível a todas as pessoas interessadas e bem intencionadas, a tecnologia superior dos NEC's, das atmosferas mais sublimes, como contra medida para as ações do mal. Cabe ao ser humano usá-los plenamente com o objetivo de acelerar sua evolução no sentido da expansão do amor, da alegria, da plenitude, na direção do bem-maior e das vontades superiores."

"Sim, sim!" – interrompi Cris, com lágrimas nos olhos.

Eu estava com lágrimas nos olhos pela esperança e confiança que nasciam dentro de mim naquele momento. Assim lembro da importância em continuarmos fazendo a nossa parte com dedicação, com carinho, com amor, porque, certamente, bons frutos virão. Vamos rezar a Deus para que Ele nos dê força para aceitar as portas que estarão fechadas para a divulgação dessa tecnologia sublime, entretanto, vamos nos alegrar pela confiança que muitas outras estarão abertas para assimilar a Boa Nova.

Eu, Bruno, sei que a tarefa de um espiritualista que caminha no campo da comunicação com os espíritos não é muito fácil em se tratando do nível de crença das pessoas em geral, mas me envolvo de muita esperança ao pensar que personalidades tão marcantes na história da humanidade enfrentaram praticamente o mundo todo, confiantes em seus propósitos, para levar suas Boas Novas também. Sinceramente, nosso tempo é outro, as dificuldades são muitas, mas comparadas às dificuldades do passado, nem tão distante assim, são quase insignificantes.

Portanto, eu, como escrevente e representante dos nobres amigos que participaram na construção deste trabalho, tenho consciência de que o livro e suas ramificações atingirão um público muito pequeno em relação à verdadeira necessidade que temos. Mesmo assim, orientado por esses amigos queridos, sei que se esse mesmo público usar a tecnologia dos NEC's e conseguirem apenas um, qualquer que seja, resultado positivo, o livro já terá seu propósito atingido. Sem a pretensão de mudar o mundo, mas sim de fazermos apenas a nossa parte, deixando os frutos à mostra para quem quiser colher.

Por isso, desejo que esse esclarecimento acima narrado seja uma porta de entrada para uma nova consciência em sua vida, para um caminho de uma verdade renovada: a verdade que liberta!

As ativações naturais durante a vida

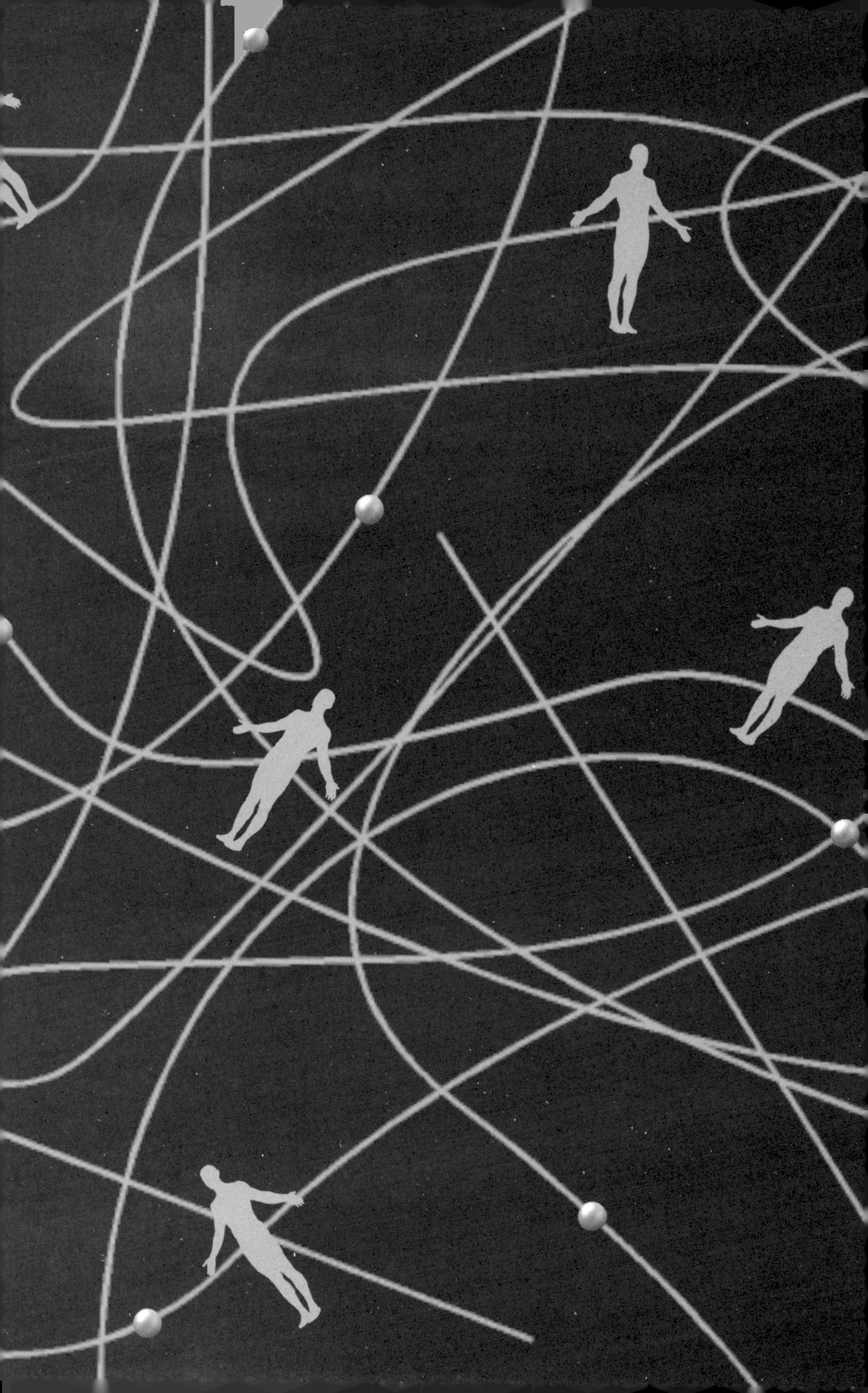

Cada momento da vida pode ser uma ativação

Existem momentos em nossas vidas em que realmente nossos corações batem mais forte. São situações normais da existência em que qualquer pessoa é submetida, que oferecem grande carga emocional e se configuram em verdadeiros testes para qualquer ser humano. Podemos citar inúmeras, como por exemplo, o exame prático para ter a carteira de motorista, o primeiro beijo, uma entrevista de emprego para o qual se espera muito, o primeiro dia do primeiro emprego, um parto, no caso das mulheres, uma tomada de decisão difícil, uma mudança esperada há muito tempo, a conquista de um sonho, uma promoção, uma aquisição material de profunda importância, entre outras. Também existem momentos negativos em que nossas emoções ficam intensificadas, como a morte de alguém próximo, num acidente, numa perda emocional, ao sabermos de uma notícia ruim, no enfrentamento de uma doença grave, numa extrema situação conflitante, entre outros acontecimentos de mesmo perfil no tocante à intensidade das emoções afloradas.

Quando acontecimentos dessa ordem acontecem na vida de uma pessoa, por força de suas emoções acionadas espontaneamente como reação natural, o corpo espiritual dessa pessoa se expande e se retrai com intensidade impressionante. Assim como um gato assustado, que arrepia todos os seus pelos ao se deparar com uma situação desafiadora, nossa aura também produz incríveis modulações, possíveis em momentos de frenéticas emoções, sejam elas positivas ou negativas.

Na ocorrência dessas situações, o corpo espiritual da pessoa acelera-se muito em relação à sua frequência de vibração normal, os chacras[17] e os Nadis[18] são diretamente influenciados, de forma que todas as funções do corpo energético têm um grande salto na capacidade de canalizar, pulsar e transferir a energia vital a que todos estamos ligados e somos abastecidos. Portanto, as situações rotineiras que envolvem emoções intensas provocam uma incrível aceleração na pulsação de energia da vida pelo conjunto corpo e espírito. O efeito que essas ocorrências desempenham sobre cada ser humano é muito variado, mas basicamente temos dois tipos: efeitos positivos e efeitos negativos.

---

[17] São centros energéticos de consciência estabelecidos nas imediações do corpo energético de cada ser, com a função de captar, receber e distribuir a energia vital para o corpo denso, estimulando as glândulas endócrinas para que elas produzam todos os componentes essenciais para a saúde do organismo. Sua tradução significa roda ou roda de luz. Existem sete chacras principais na aura de um ser humano, entretanto, existem milhares de centros secundários. Servem de ponte energética entre o corpo espiritual e o físico.

[18] Meridianos de energia, estabelecidos por todo o nosso corpo energético, que possuem a função de distribuir as forças vitais para as diferentes funções. Na visão chinesa, os meridianos são também conhecidos como "Rios de Chí", ou seja, galerias por onde circulam as energias vitais que abastecem a vida em todos os corpos, físico, emocional, mental e espiritual.

Toda energia vital presente no universo, quando flui através dos seres humanos, é magnetizada pelo conjunto corpo e espírito. Essa magnetização se dá em especial pela intenção de cada ser, que pode ser positiva ou negativa, consciente ou inconsciente.

A energia magnetizada sofre interferência direta dos pensamentos do indivíduo. Logo, quando a pessoa passa por uma situação extrema e, por consequência das emoções promovidas reage sentindo-se mal, irritando-se, chateando-se, desanimando-se ou lamentando-se, ela estará conduzindo a energia vital magnetizada na forma mais densa, portanto, prejudicial para os arredores de sua aura e de seu corpo físico.

Isso quer dizer que, se a pessoa passa por situações como essas, agindo com base em comportamentos negativos, pessimistas, então, ela intoxica o conjunto mente-espírito com as escórias produzidas pela densificação da energia vital universal. Em outras palavras, a ação da mente negativa da pessoa contamina a qualidade da energia que será utilizada no abastecimento da vida de seu próprio corpo físico e das suas funções psíquicas e espirituais.

Por outro lado, se a pessoa souber aproveitar os momentos da vida, sejam eles os positivos ou os negativos, sempre de forma superior e otimista, ela magnetizará o grande fluxo de energia vital universal pulsado pelo afloramento das emoções de forma benéfica. Assim, o indivíduo passará por diversas situações, aproveitando-as para evoluir e para se expandir, porque utilizará esse grande fluxo para purificar e alimentar positivamente o conjunto mente e espírito.

O controle das emoções negativas, possivelmente, é o nosso maior desafio de vida. Isso porque se, por um lado, emoções negativas acumuladas adoecem, trazem limitações, tristeza, sentimento de vazio, medo e amargura, por outro lado, as emoções positivas curam, rejuvenescem, trazem felicidade, confiança e paz de espírito.

Quando passamos por momentos de emoções à flor da pele, é salutar que desenvolvamos a tranquilidade para domá-las, acalmá-las e direcioná-las para os propósitos superiores de autorrealização, felicidade e paz de espírito. Temos que ter a compreensão de que, se não agirmos no sentido de controlar essas emoções, serão elas que nos controlarão! E quando as emoções não são controladas, tornamo-nos animais, nos densificamos, por consequência, regredimos ao invés de evoluirmos rumo à conquista de angelitude para nossas almas.

Cada momento da vida em que as emoções transbordam com grande intensidade é uma ativação espiritual, porque afeta todo o sistema corpo e espírito com grande potencialidade. O nosso trabalho é ter consciência de que precisamos agir sempre no sentido do equilíbrio, do discernimento ou, como os amparadores espirituais desse trabalho gostam de dizer, "precisamos aprender a nos emanciparmos de nossas emoções inferiores".

Por isso, nos diversos dias em que estive na companhia dos amigos espirituais que produziram o conteúdo deste livro, aprendi que as Ativações Espirituais naturais são as responsáveis por fazer com que as nossas consciências se expandam ou se retraiam, sempre de acordo com as nossas atitudes ou, ainda, conforme nosso livre-arbítrio.

Devemos redobrar nossa vigília nos momentos de emoções extremadas, trabalhando no sentido de abrandá-las e direcioná-las para nossos objetivos mais elevados, porque assim conseguiremos acelerar muito nossa evolução. Não podemos mais ficar à mercê das emoções negativas, sentindo todo o mal que passa nos noticiários televisivos ou toda a reclamação das pessoas próximas, ou toda a dor da humanidade, ou toda a mágoa de nossos amigos e assim por diante. Emoção desequilibrada intoxica e escraviza a raça humana rebaixando à condição de animalizada.

Precisamos aprender a utilizar a tecnologia dos Núcleos Energéticos de Consciência para criarmos nossas novas personalidades, mais felizes, mais equilibradas, em harmonia com as Fontes Superiores. Além disso, precisamos sintonizar o conhecimento sobre os NEC´s e aliar ao conhecimento sobre as ativações naturais produzidas no desenrolar da vida de qualquer ser humano, não permitindo que escórias perniciosas sejam criadas como consequência de comportamentos alienados, desequilibrados ou vitimistas. Somos todos seres em evolução, buscando nosso caminho de volta ao coração do Grande Espírito Criador. Não existem culpados, não existem vilões, somos sempre criadores da doença e do antídoto!

A cada dia está à nossa disposição mais informação, mais conhecimento e, certamente, mais amor do Grande Espírito Criador por nós, os seus filhos queridos, e por isso precisamos, de uma vez por todas, aproveitar essa Boa Nova em benefício próprio e de nossos semelhantes. Que Ele nos dê força para que façamos a nossa parte bem feita!

E, podem acreditar, com a fé e a devoção que Ele dará toda a força que precisarmos, sem limites, por que assim é a Fonte Maior, abundante, ilimitada, plena. Que essa plenitude ilumine sua jornada. Muito obrigado pela bênção da sua companhia, muito obrigado por acolher em seu coração essa Boa Nova.

Nós somos um só, eu sou o outro você! Você é o outro eu!

Eu sou Nós!

Eu sou Nós!

Eu sou Nós!

Com todo o meu amor, respeito e gratidão.

Até a próxima.

Bruno J. Gimenes

Outras Publicações

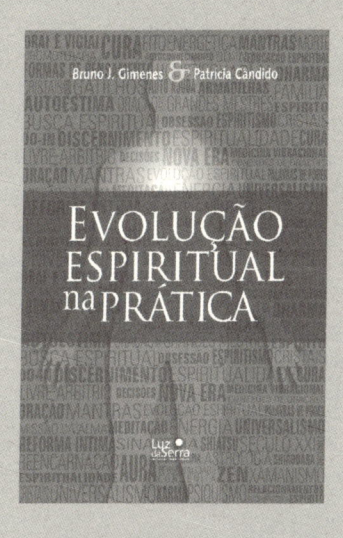

Luz da Serra EDITORA

Evolução Espiritual na Prática
Bruno J. Gimenes e Patrícia Cândido

Este trabalho é uma séria proposta que visa contribuir na evolução espiritual universalista (sem cunho religioso), na prática do dia a dia, com uma linguagem diferenciada por sua simplicidade e objetividade.
É um manual prático que proporciona ao leitor condições de acelerar sua evolução espiritual, de forma consciente, harmoniosa, inspirando valores para alma, que o faça refletir sobre o sentido da vida e seus aprendizados constantes.

Páginas: 344
Edição: 3ª
Acabamento: Brochura
Formato: 16x23 cm
ISBN: 978-85-7727-200-6

Grandes Mestres da Humanidade
Lições de Amor para a Nova Era
Patrícia Cândido

É uma busca no passado que traz à tona a herança deixada pelos sábios que atingiram os níveis mais altos de consciência. Talvez a humanidade não perceba que as mensagens de Buda, Krishna, Gandhi, Jesus e outros seres iluminados nunca foram tão necessárias e atuais. Nesta obra, a autora reúne as propostas de evolução que cinquenta grandes almas apresentaram à humanidade.

Páginas: 336
Edição: 2ª
Acabamento: Brochura
Formato: 16x23 cm
ISBN: 978-85-7727-153-5

O Criador da Realidade
A vida dos seus sonhos é possível
Bruno J. Gimenes e Patrícia Cândido

O Criador da Realidade é uma obra que vai encher sua vida de prosperidade e possibilidades, pois lhe transformará em um criador consciente da sua realidade. De forma direta e eficiente, oferece todas as informações que você precisa saber para transformar a sua vida em uma história de sucesso, em todos os sentidos: saúde, relacionamentos, dinheiro, paz de espírito, trabalho e muito mais.

Páginas: 128
Edição: 3ª
Acabamento: Brochura
Formato: 14x21 cm
ISBN: 978-85-7727-234-1

Fitoenergética
A Energia das Plantas no Equilíbrio da Alma
Bruno J. Gimenes

O poder oculto das plantas apresentado de uma maneira que você jamais viu. A Fitoenergética é um sistema de cura natural que apresenta ao leitor a sabedoria que estava escondida e deixada de lado em função dos novos tempos. É um livro inédito no mundo que mostra um sério e aprofundado estudo sobre as propriedades energéticas das plantas e seus efeitos sobre todos os seres.

Páginas: 304
Edição: 4ª
Acabamento: Brochura
Formato: 16x23cm
ISBN: 978-85-7727-180-1

Mulher - A essência que o mundo precisa
Bruno J. Gimenes
Orientado espiritualmente por Luara

Um novo jeito de pensar e agir a partir das bases amorosas aproxima-se para a humanidade, tendo como centro dessa transformação a energia essencial da mulher. Essa mudança já está acontecendo, estamos a poucos instantes de entrar em um movimento na Terra que removerá passo a passo as impurezas e excessos da atmosfera psíquica. Nesse evento dos planos superiores, a protagonista é a mulher, o ser que consegue armazenar em seu seio a força das atmosferas sublimes, que é o antibiótico para a bactéria da ignorância mundana. E, quando a mulher lembrar da sua força e usar em sua essência, provocará um movimento que fará as sombras se dissiparem da Terra.

Páginas: 152
Edição: 2ª
Acabamento: Brochura
Formato: 16x23 cm
ISBN: 978-85-7727-251-8

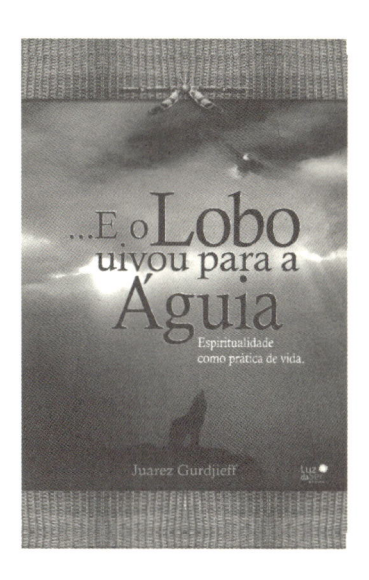

E o Lobo uivou para a Águia
Espiritualidade como prática de vida
Juarez Gurdjieff

Nesta obra, Juarez Gurdjieff apresenta o assunto da espiritualidade de forma prática e vinculada aos estados psicológicos da vida humana em vários segmentos. Ao leitor cabe apenas o exercício de compreender e traduzir para a sua vida as reflexões advindas da tradição dos índios. Numa linguagem simbólica entre os animais, o diálogo que se estabelece produzirá benefícios incríveis em sua vida.

Páginas: 136
Edição: 1ª
Acabamento: Brochura
Formato: 16x23 cm
ISBN: 978-85-7727-259-4

Encontro de Eus
Um caminho... Uma vida diferente...
Domício Martins Brasiliense

Encontro de Eus propicia a descoberta do Novo Eu. Conduz uma reflexão crítica, abordando aspectos fundamentais para a compreensão do que somos hoje a partir do somatório de fatos, lembranças, noções de amor e opções que fizemos. Mais do que denunciar o Eu desgostoso e oprimido, aponta aspectos relevantes para que tenhamos opções a partir da adequada percepção das coisas a nossa volta. Desenvolve a escuta necessária aos nossos sentimentos, preconizando um Eu de possibilidades a novas descobertas e mudanças para a felicidade.

Páginas: 128
Edição: 1ª
Acabamento: Brochura
Formato: 14x21cm
ISBN: 978-85-64463-07-3

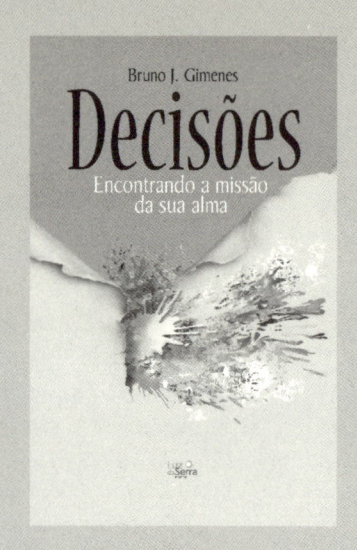

Decisões
Encontrando a missão da sua alma
Bruno J. Gimenes

A conscientização de que temos uma missão pessoal e o entendimento da importância em trilhar a vida de acordo com essa meta são chaves para uma vida feliz e plena. Essa compreensão é o instrumento básico para tomar decisões acertadas na vida, bem como entender que os problemas de hoje podem ter origem nas escolhas mal feitas do passado. Atributos fundamentais para qualquer pessoa recriar suas atitudes e comportamentos. É um livro esclarecedor que mostra formas simples e eficientes para ajudar você a tomar decisões sábias, encontrar e realizar a missão de sua alma, produzindo em sua vida efeitos intensamente positivos.

Páginas: 168
Edição: 3ª
Acabamento: Brochura
Formato: 16x23 cm
ISBN: 978-85-64463-08-0

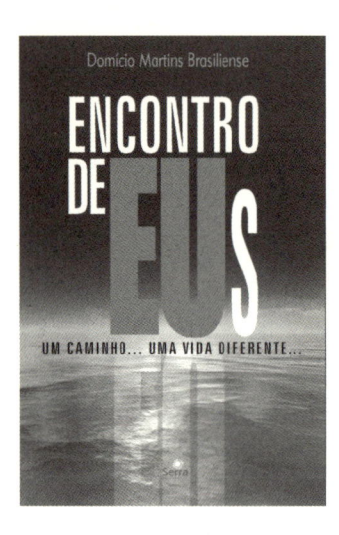